PAÍSES, GENTES Y COSAS

Julio Camba

PAÍSES,

GENTES

Y COSAS

Edited by James Shearer

HOLT, RINEHART AND WINSTON, NEW YORK

To Don Federico de Onís who over thirty years ago
first introduced Camba to American students

Illustrations by Lorenzo Goñi

Preface

This book is intended for use after the first elementary course in the language has been completed. Each of the forty-seven selections is very brief, and questionnaires are provided for each. Available separately from the publishers are taped recordings of the selections, the questionnaires with answers, and supplementary pattern drills treating idiomatic usage. The editor takes this opportunity to acknowledge with pleasure his indebtedness to Don Ángel del Río and Don Tomás Navarro for their advice and encouragement.

Table of Contents

SEGUNDA PARTE: OTROS PAÍSES Y TEMAS VARIOS

Introduction

During the years immediately prior to the turn of the present century there developed in the cultural, political and social life of Spain a deep and growing concern over that country's relative position in the world. Such anxiety and national self-consciousness had not come into being over night; on the contrary they had been building up over a long period of time, and many ideas relative to them inform the writings of Spaniards of earlier periods. However, Spain's disheartening political reverses as a result of the war with the United States in 1898, although, to be sure, merely an outward and highly spectacular aspect of the deeper problem, struck many as the culmination of the nation's downward course, and in a real sense painfully symbolized the gap separating her from more modern, progressive, and particularly European, countries. There soon took shape among Spain's thinkers and writers an earnest endeavor to discover the causes of such national deterioration. This made for an exercise in soul-searching, for a period of implacable self-examination, and the confrontation on a wide scale of Spanish values, both traditional and modern, with those of other peoples and other cultures.

As might be presumed, ideas on the best methods of extricating Spain from this cultural and political predicament varied greatly from one writer to another. Many such ideas and formulas for the country's salvation came from a group of writers conventionally known as the « Generation of 1898 », or from their forerunners of a slightly earlier period. Almost all shades of opinion found their expression. Immediately following the disaster of the Spanish-American War, and the hard reality of the loss of the country's last overseas possessions, there was a widespread and understandable attitude of dejection, indifference and apathy. In some quarters this produced writings dictated by a reluctance to face up squarely to reality, works inspired in defensive self-justification, or in the facile rationalization of Spain's problems. This reflected a spirit content to rest the country's case on the great glories of a traditional past. At the other pole from this initial, almost self-demeaning attitude is the work of José María Salaverría, *La afirmación española* (1917), whose ebullient optimism is humorously alluded to by Camba in his article « Grandes hombres. »

Between these extremes of disheartenment and optimism about Spain, numerous other positions became apparent, reflecting many of the more knowledgeable approaches to the question. Some felt the country's salvation to lie in the adoption or adaption of European standards and values to Spanish life. This was the initial position of Spain's great philosopher and « disturber of consciences », Miguel de Unamuno, in his first work *En torno al casticismo*. Later, however, he came, like others, to insist just as tenaciously on a return to Spain's *tradición eterna*, the abandonment of which, they contended, had done much to explain the present impasse. But many of both persuasions felt, at the same time, that there was a most important first order of business that had to be considered: that before Spain could properly decide what best to *do*, she had to determine precisely what she *was* in the modern world. This made for a revisionist literature of great interest, and one dedicated to the discovery, or rediscovery, of Spain's true identity.

Some sought the answer to this enigma in a new study of the works of her great classical writers of previous periods;

some in the lessons of her language; some in the message of the Spanish countryside, particularly that of Castile; still others in the teachings of history and tradition. An important part of this endeavor was the study and close scrutiny of other European cultures and peoples and their comparison with those of Spain.

During the period of the First World War what may be called the second generation of the contemporary period began to exert its influence, the outstanding figure of which was the essayist José Ortega y Gasset. Its members inherited many concerns and problems from the older group of the « Generation of 1898 », and many of its writers treat similar themes. Perhaps the greatest point of difference between the two is the more pronouncedly abstract and intellectual character of the second group, their greater objectivity and rationality, as contrasted with the highly subjective and introspective character of members of the older generation.

Julio Camba is a contemporary Spanish humorist and satirist whose work constitutes an engaging and important part of the revisionist literature of his time. Ideologically and sentimentally he is very close to the « Generation of 1898 » because of, among other things, his very great concern for Spain. Chronologically and formally he shows a truer affiliation with the second group of the period.

Camba was born in Villanueva de Arosa, province of Pontevedra, Galicia, in 1884. Faithful to the long tradition of Galician emigration to Latin America, he sailed for Buenos Aires at the age of thirteen, hidden, as the story goes, in the ship's hold. It was there, at this early age, that his career as a newspaper man began. His journalistic fervor, however, was not long in provoking the ire of the authorities and, two years after his arrival, he was expelled from Argentina as a threat to public order.

Sometime after his return to Spain he joined the staff of the newspaper *El País* and rapidly added to his growing reputation as a popular writer among an increasing following of readers. From *El País* Camba moved to *España Nueva* and subsequently, when *El Mundo* was founded, he occupied a prominent editorial position on the latter paper. His work on *El Mundo* was interrupted when, as a correspondent for *La Correspondencia de España*, he spent some five or six months in Constantinople. Returning to Spain he rejoined *El Mundo* and at one time or another has worked in an important editorial capacity on a large number of other Spanish and Spanish American papers, including *La Tribuna, La Voz, El Sol* and *A B C*, to the last of which he has continued to contribute articles with considerable regularity up to the present. In 1951 he was awarded the literary prize « Mariano de Cavia » for his article « Plumas de avestruz », first published in the paper *Arriba* and included in the present collection. Since 1931, after his second visit to the United States, Camba has lived in Spain.

It can be said that Camba's initial assignment to Constantinople set the pattern for what his life as a writer and journalist was later to be. Returning to *El Mundo* from this trip, he was sent by his paper first to Paris and then to London. Thus began a continuing series of assignments to a wide variety of European countries and to the United States, varying in length from a few months to several years. Many of these places were later revisited and in a number of instances Camba's articles reflect this « second look » in a very interesting manner.

The immediate fruit of these travels was Camba's *crónicas*, short prose pieces descriptive of the author's impressions, published in the various newspapers on which he was collaborating at the time. Later these articles were collected in book form. This began in 1916 with the publication of the volume *Alemania* and has continued at regular intervals, with numerous subsequent editions of earlier volumes, until his latest collection, *Millones al horno*, of 1958. Ten years before this his *Obras completas* in two volumes were published in Madrid by Editorial Plus Ultra. This represents a published work of fourteen volumes, counting only first editions.

The *crónica,* as employed by Camba, is a humorously satirical commentary or journalistic dispatch. In form it is characteristically quite short and seldom, if ever, exceeds one or two book-size pages. It can as properly be called a *correspondencia*, a word which, furthermore, is expressive of the real nature of his articles, *i.e.*, an informal exchange or communication between the author and his readers, reaching them first through a medium of popular diffusion, the newspaper. They are running commentaries, very close in spirit, word and idiom to the spoken language, spontaneously and impressionistically produced in reaction to his surroundings. What, one might ask, becomes of this original spontaneity and *actualidad* once the articles have been assembled in book form? E. Salazar y Chapela makes the following interesting comments on this point:

> La crónica de Camba continúa en el libro una vida lozana, fresca, jugosa,perennal. No amarillean aquellas crónicas en el libro. Al contrario. Unidas en un volumen, incluso parecen ganar una mayor robustez, la fuerza indiscutible de la extensión. Ello quiere decir que la actualidad de una crónica cambiana es para Camba solamente un punto de partida. O un trampolín para lanzarse con habilidad, con gracia, dominando la idea, con perfecto manejo de la expresión, al humorismo cambiano—o cambino—eminentemente intelectual. Temas actuales son todos los de Camba, facilísimos de aviejarse con su crónica al menor sometimiento del escritor al tema, a su actualidad. Pero aquí no hay peligro. Aquí está eludido en lo posible el lastre de información, el « momento ». Éste queda borroso, lejísimo en la memoria, como olvidado. Julio Camba concede a lo actual bien poca cosa. Aprovecha la actualidad, simplemente, la explora y la explota, subordinándola luego a una divagación de humor. Por eso las crónicas de Camba están muy bien, perfectamente, en un periódico; pero de igual modo están bien, perfectamente, en un libro.

Perhaps the first impression made upon a student of Camba's articles is the almost endless variety of their subject matter. The alacrity with which he will discourse on almost any theme—political, social, economic, linguistic and even culinary (domestic or foreign)—is revealing not only of the breadth of his intellectual curiosity and the authority and seriousness of his convictions on many matters, but further supports his posture as a Spanish writer of the contemporary period. His increasing interest in the things and people about him is typical of his time. It is seen again, in a different register, in the essays of Pío Baroja and in many other Spanish writers whose outlook and interests become increasingly comprehensive as the twentieth century advances. Federico de Onís has placed Camba among his contemporaries in the following words:

> La interpretación cómica que Camba ha hecho de España mediante su contacto y confrontación con Europa, corresponde...al mismo espíritu de época que se manifiesta, en formas tan serias, en la interpretación política de Costa, el propulsor de la « europeización » de España; la interpretación histórica y filosófica de Ganivet, Unamuno y Ortega y Gasset; la interpretación poética y sentimental de Azorín, Machado y Baroja; la interpretación dramática de Marquina; la interpretación pictórica de Zuloaga, y así de todos o los más de los grandes españoles de nuestra época. Para todos ellos la visión del problema de España es seria, en todas las formas de la seriedad, pasando por la melancolía, la tristeza, la acritud, la desesperación, o la fe, la complacencia, el entusiasmo. Camba presta al cuadro la nota cómica, tan humana y tan profunda como otra cualquiera.

Camba's work can be divided into three principal categories. The first of these, and the one in which he first made himself known as a writer, includes those articles about the peoples and customs of specific countries and regions. The second division comprises the several volumes of *crónicas* that can best be called miscellanies, the articles of which are as varied in subject matter as Camba's limitless imagination. In the final category are two volumes of articles devoted to special subjects.

To the first division of his work belong *Alemania, Londres* and *Playas, ciudades y montañas,* all published in book form in 1916. The contents of the first two volumes is clear from their titles; the last contains essays on Galicia, France, Switzerland and Belgium. *Un año en el otro mundo* (1917) is the result of Camba's first contacts with life in the United States during the period of the First World War and, from his reactions to that rare creature, the Yankee, we can properly conclude that the title of the book has more than a casual significance. *La rana viajera* (1920) in a sense represents « The Return of the Native » in his work, for it deals with Spain and its first section is entitled, significantly, « España reencontrada ». In the book's introduction, « Mi nombre de charca», Camba explains, figuratively, his initial reactions to his foreign environment and looks to the future:

> Yo estoy en mis colecciones de crónicas extranjeras como una rana que estuviese en un frasco de alcohol... Y si lo que quería mi director era observar el efecto directo de la civilización europea sobre un español de nuestros días, ahí tiene el resultado: una serie constante de movimientos absurdos y de actitudes grotescas...
>
> Ahora el poeta vuelve a su tierra, es decir la rana torna a la charca. Pero, y sin que haya llegado a criar pelo, ya no es la misma rana que antes... ¿Qué efecto le producirán las otras ranas a esta rana que está transformada de tal modo? ¿Cómo encontrará su charca la rana viajera después de una ausencia de tantos años?
>
> Mientras he estado en el extranjero, yo he tenido un punto de referencia para juzgar los hombres y las cosas: España. Pero esto era únicamente porque yo soy español y no porque España me parezca la medida ideal de todos los valores. Ahora, y para juzgar de España, me falta un punto de referencia. Forzosamente, haré comparaciones con otros países.

Other volumes belonging to the first part of his work include *Aventuras de una peseta* (1928), which might be called « Europe Revisited, » since the articles deal with Germany, England, Italy and Portugal, and *La ciudad automática* (1932), written during Camba's later visit to the United States.

In the second category are the miscellanies *Sobre casi todo* and *Sobre casi nada*, both of 1928; *Esto, lo otro y lo de más allá* (1945); ... *Etc.*, ... *Etc.*, (1945); *Mis páginas mejores* (1956—containing principally reprints of older articles plus a few pieces more recently published in *A B C)* and *Millones al horno* (1958).

In the final grouping are *La casa de Lúculo o el arte de comer* (1929), which Camba calls « excursión mía a través de la cocina universal », and *Haciendo de República* (1934), essays of political satire on the Spanish Republic of 1931-1939.

Julio Camba is first of all, and naturally, a humorist, a fact which distinguishes him from the great majority of his contemporaries. At the same time he is an unremitting satirist, employing humor as a vehicle for a continual and relentless commentary on the illogical, disproportionate relationships and exaggerations among human beings; on man's ostensibly innate tendency not only to tolerate but actually to perpetuate the trivial and the absurd. In the modern world in which he lives Camba represents equilibrium and normalcy; the world he observes often represents chaos. In his natural and spontaneous reactions to the lunacy about him we find one of the most interesting sources of his humor.

A modern Spanish writer, José Martínez Ruiz (Azorín), has described the attitude of the nineteenth-century critic and satirist Mariano José de Larra as one of « permanent and unyielding hostility toward everything absurd, illogical and incoherent ». No more appropriate words could be found to describe the attitude and aims of Camba himself. It should be added, however, that the idea of « aims » in his work might be a little puzzling to Camba. Certainly as conscious directives in his writing they would scarcely seem compatible with the obvious enjoyment he derives from it, an enjoyment that continually infects the reader with a contagious gaiety to be shared with the author.

Closely akin to what we have always sensed as this enjoyment in the task before him, is the peculiar nature of his satire. Although he shares a number of attitudes and critical techniques with Larra, in the matter of satire he is uniquely different. Perceptive a critic as Larra was of the society of his time, as an individual he was highly introspective and self-tortured, and his satire reflects his romantic inability to make peace either with himself or with the society in which he lived. His satire is acrid, corrosive and essentially uncharitable in nature.

Camba's satire on the other hand, while aimed with sharpshooting logic and unerring psychological insight against human frailties and absurdities, springs from a basically cordial view of man, a view moreover which does not allow him to ride roughshod over the essential dignity of the individual; the sly smile is almost always present. It derives not from antipathy but rather from sympathy and respect for his fellowman; in this it is typically and traditionally Spanish. It is serious in intent without being truculent, lighthearted without stooping to irresponsibility or empty frivolity.

His humor is the medium for the expression of his satire. It would be incorrect to suggest that the comic aspects of his satire do not have a certain linguistic basis. They very definitely do. Frequently what is only suggested, implied or even *unsaid*, gives an oblique expression to an idea or conveys its humorous turn more impressively than what could be said or more explicitly stated under similar circumstances. But it would be even more incorrect to assert that Camba's humor is based, essentially, on his peculiar way of *saying* things for humorous effect. Rather than on a way of *saying*, rather than on the use of a complex of ingenious expressions, it is based on a certain way of *seeing*, on a markedly intellectual posture, on the author's peculiar perspective with relation to the reality that surrounds him. Much of this perspective is owed to the fact that Camba, as a Spaniard, shows his countrymen's propensity to preserve a certain aloofness to his environment, both foreign and native, not to allow his personality to become vitiated by it and to preserve his own principles, points of reference and standards of judgment wherever he is. It is from the area of this perspective that the author emits his humorous responses to the world about him.

Just as his satire is not vitriolic, so his humor is benevolent. It does not lean to any degree on the use of caustic irony, nor does it feed on the spectacle of man's suffering and misfortune, although these may well be in many instances the results of man's absurd and illogical behavior. Part of its impact on the reader comes from Camba's psychological adroitness in going straight to the point of a ridiculous situation, custom or attitude, be this individual or national. Frequently this hitting the mark so squarely and so quickly is all that is needed to convey both humor and satirical intent.

Effortless as this process may seem to the reader, it is one of design, and another evidence of the intellectual cast of Camba's humorous technique. In such a process the absurd, the contradictory and the irrational are disarmingly disguised under forms strictly rational in outward appearance. Camba then, with tongue in cheek, invites the trusting reader to follow him in a coolly logical progression to a given conclusion, or to participate with him in an ostensibly scientific investigation to arrive at a definition or demonstration of something. There is no appeal to the reader's emotions; the object or idea he is examining is isolated, stripped completely of its objective reality and its human connotations,— viewed in a vacuum. Then, step by step, we follow the author in a process of « reduction to absurdity », where the proposition is proven ridiculous or ludicrous precisely by having been carried to its rigorously logical conclusions. Since the reader has been an equal and willing partner in this process, he can scarcely complain when he comes face to face with the hidden incongruity, and he laughs at himself for having been duped. As examples of the above, what could be more logical than the following?

> Habiéndome puesto a razonar en un momento de ocio sobre la falsedad de las generalizaciones, he llegado al siguiente resultado: todas las generalizaciones son falsas, pero si todas las generalizaciones son falsas, esta generalización también es falsa, y si esta generalización es falsa, estonces no son falsas todas las generalizaciones.
>
> De otro modo: Todas las generalizaciones son falsas. Luego esta generalización es falsa. Luego no todas las generalizaciones son falsas. Luego se puede generalizar diciendo que sí lo son. Luego... etcétera etcétera, etc.
>
> Cuando se nombra un ministro, otro individuo deja de ser ministro; por tanto, cuando alguien pasa a ex ministro, otro alguien debe dejar de ser ex ministro.
>
> Si la vacuna es una tiranía, la viruela es la libertad.

Camba's use of language, especially his choice of words, is precise and direct, never wasteful, redundant or pedantic. He respects language but is never its slave. What he thinks and has to say is always more important to him than any rigidly fixed way of saying it. As a working journalist he uses language as what it is for him, a working tool and not an end in itself. It is sensitive to, and representative of, the cosmopolitan world of which he has for so many years been a part. Thus we note a marked hospitality to foreign words and phrases, to neologisms, to coined words and modifications, frequently one of his most effective means of clothing the peculiar whimsy of his thought.

In an article entitled « Sobre las *des* parasitarias », from his collection *Sobre casi nada,* he gives humorous expression to his independence in matters of language, and points up the gap separating popular usage and the dictates of formal grammar:

> No comprendo los entusiasmos del maestro Castrovido por esa *d* del « marchad » con que las autoridades nos conminan a seguir una dirección determinada.¡Marchad! ¡Id! ¡Venid! ¡Corred! Indudablemente, todo esto es muy gramatical; pero yo estoy seguro que cuando Castrovido se dirige a sus chicos, les dice « correr », « venir », « ir », « marchar »... Nadie dice « marchad » en España, sino « marchar », « marchaos » y hasta « marcharos ». Y claro está que nada de esto es muy gramatical; pero, ¿qué vamos a hacerle? Un idioma que estuviese obligado a ajustarse a la Gramática sería algo así como una Naturaleza que estuviese obligada a ajustarse a la Historia Natural.

Although expressive of his independence, this passage shows that his opinions on Spanish linguistic peculiarities are rather more improvised and nonchalantly used for comic effect than the result of studied, critical reflection. For, while it is true that his examples are commonly found in familiar usage, the more formal language of the lecture hall, of the theatre, the pulpit or the academic meeting is meticulous in its preservation of the final -*d* of the plural imperative.

He makes effective use of a number of conventional rhetorical devices that the student will quickly recognize as characteristics of his style. In addition to his consistent use of simile and metaphor, exaggeration and caricature, one of his commonest practices is his employment of antithesis. In fact this is one of the most distinctive aspects of his style. He is fond of presenting ideas in pairs and contrasting them. His introduction of a theme is frequently made in antithetical form. With Camba this represents more than a simple rhetorical mechanism. It demonstrates his tendency to look at the several sides of a subject, to view it from various angles, to break down the idea behind it immediately into contrasting parts to better understand it. It is the opposite of the snap judgment on the basis of simple first sight. It is again part of the essentially intellectual view he takes of things. Stylistically, moreover, it is an interest-arousing way of starting an article. So, in « La ciudad del tiempo »: « Nueva York es una ciudad que me irrita, pero que me atrae de un modo irresistible, y cuanto más me doy cuenta de lo que me atrae, a sabiendas de lo que me irrita, me irrita, naturalmente, muchísimo más todavía.» In « Grandes hombres »: « ¿Hay muchas estatuas porque hay muchos grandes hombres, o hay muchos grandes hombres para que haya muchas estatuas?» Or finally in « La bohemia »: « Una cosa es la despreocupación y otra la preocupación de ser muy despreocupados.»

It would be as impossible to find an over all thematic unity in Camba's work as it would be to discover this in the multi-faceted world he has described. Nevertheless his writing does have a unity and is an organic whole. This derives not from subject matter but from the persistence of Camba's critical attitude toward his themes, and his intimate preoccupation with the people and things about him.

To a degree Camba can be said to perpetuate the long tradition of *costumbrismo* so firmly established in Spanish literature since the eighteenth century. Many of his articles are indeed *cuadros de costumbres* pure and simple, with no overt or implicit satirical intent. But in the total view of his work it is quite impossible to consider him merely as a latter-day *costumbrista*, intent simply on observing and recording the unique, the picturesque or the ridiculous in his subjects. In this more comprehensive perspective of the author he appears at once as the critic and the autocritic. Like his modern contemporaries his outlook is not one of simple objectivity. On the contrary he is subjectively involved in his humorous criticism of countries, peoples and things. While Spain is an important point of reference in his appraisals of other countries, and vice versa, perhaps Camba himself is the most important such point of reference of all.

While other more « serious » writers have wrestled with Spain's problems and sought a clue to her true identity through the avenues of philosophical speculation, linguistic, literary or

historical research, Camba has elected the gayer and less pretentious road of frequently whimsical humor for his own highly
personal interpretation of the world about him.

What then, finally, makes his work, essentially journalistic
in nature, worthy of inclusion in the important Spanish literature
of our time, as attested by the most competent critics? It would
seem, among other things, to be the fact that Camba continually
transcends his homely, humorous medium and demonstrates his
capacity to link his frequently capricious and hyperbolic observa-
tions to larger, more basic ideas and concerns. He consistently
moves in his articles from the particular and the whimsical to
the general and the important, from the local and the restricted
to the national and the universal. In this artistic process, moreover,
he has not allowed his cosmopolitan outlook to eclipse his
identity as a Spaniard or as an individual, nor to becloud the
eminently human and benevolent view he has of the man of his
time.

Camba's contacts with other Europeans furnished the
material for hundreds of amusing and penetrating articles, incisive
in their delineation of national contrasts and individual differences.
It is fair to say, at the risk of employing a somewhat hackneyed
word, that his reactions to these peoples and cultures is, along
broad lines, « typical ». Typical in the sense that he recognizes,
and is somewhat overwhelmed, by the staidness and conservatism
of the English; that he is amazed and not a little repulsed by the
ponderousness and humorless air of German life; that he is
quick to respond to the contagious gaiety and lightheartedness
of the French. Generally speaking, too, his reactions to all these
peoples reflect the Spaniard's naturally greater affinity for the
Latin races as compared to the Germanic or the Anglo-Saxon.
All of this, particularly the latter, is perfectly understandable.

Startling as his early reactions were to other Europeans,
nothing of this approached his shock upon finally dealing with
Americans. Though obviously a vast amalgam of races, he sees
us not as such, really, but as something essentially non-European,

something non-Spanish,—as something alien and disturbing in
our complexities. Here again Camba's reactions square generally
with those of many Europeans who have passed jugdment on
the American national character. He found us brash, forward,
overly fond of material wealth and of the colossal. In this view
we had undoubtedly tended to confuse mechanization with
progress. Culturally, although he has not said it, he would probably have been willing to say that we prefer automobiles to poetry.
We share with the British the dubious distinction of having
flooded the world with what is doubtless the object of his
greatest scorn and mockery: the bumptious, big-spending, over-
dressed tourist.

We may resent Camba's appraisal of Americans and declare
it a limited view; we may call it shallow and cursory. We could
point to the fact that it does not, except superficially, take into
account the multiple nuances of regional differences and ethno-
logical complexities that help make this country what it is;
that his view of the United States has somehow failed to detect
many of our attributes as a people less spectacular than many
of those that most impressed him, but perhaps more worthy of
comment.

But, before we do, we should ask ourselves whether his
strictures are not perhaps more basically revealing of our character
than we may wish to concede. If, however, we persist in believing
him wrong about Americans and the United States, his proper
rejoinder would be that probably no European country or culture, about which we ourselves could logically be well informed,
is less known or understood today by Americans than Spain
itself,—and this notwithstanding the numerous « interpretations »
that have been made of it by people with much greater opportuni-
ties for observation and analysis than those ever enjoyed by
Mr. Camba.

The present selection of Camba's articles is representative
of all periods of his work, from *Alemania* to *Millones al horno* and
later articles published in *A B C*. It has been conceived, basically,

as a book reflecting the author's impressions of the United States, and slightly less than half the material deals with this country. Attractive as a volume dealing entirely with this subject would be, it would afford a very limited view of the author. Consequently twenty-eight other articles have been included that are typical of his reactions to England, France, Germany and Spain, and a few pieces on subjects unrelated to any particular locale. The articles on European countries, aside from their intrinsic interest, serve a further purpose. They afford the student a basis of comparison between the author's views on Europe and the United States, and make it clear that not all his satirical humor was reserved for us.

Aside from the special interest it is hoped the book's emphasis may have for American students, such emphasis is, furthermore, amply justified from the standpoint of the rôle of the United States in the whole of Camba's production. Not only is ours the only country to which he has devoted two entire volumes, but his interest in the United States does not end here. After his first visit and the publication of *Un año en el otro mundo* (1917), this country never ceases to play an important part in his work,— much more important than the simple titles of subsequent volumes would indicate. Every collection after the above date, with the exception of *La rana viajera* (1920), contains articles with substantial dependence on American themes, either as the basis of the articles, or in the use of American material for comparative purposes.

Países, gentes y cosas is designed not only to afford as comprehensive a view of the author's work as limitations of space will allow, but to show an evident evolution in his work. His first contacts with other European countries produced in the youthful writer rather abrupt reactions or, as he has put it, « una serie constante de movimientos absurdos y de actitudes grotescas. » As his work has progressed until the present time, although the posture of the satirist and the humorist remains intact, there is to be noted a growing detachment from geographical or national limitations in subject, a kind of philosophical mellowing in treatment, and an increasingly pronounced liking for more contemporary and especially cosmopolitan themes.

Camba's work shows him to have been a keenly interested observer of the world about him—one world which he recognizes as clearly past, and another fast emerging; a profound writer within the framework of his humorous pose; a charitable human being beneath the guise of his satire, and an extremely articulate, provocative and entertaining spokesman for Spanish culture in his time.

PRIMERA PARTE

ESTADOS UNIDOS

La ciudad del tiempo

¿Qué cosa extraña es ésta que me ocurre a mí con Nueva York? Me paso la vida acechando la menor oportunidad para venir aquí, llego, y en el acto me siento poseído de una indignación contra todo. Nueva York es una ciudad que me irrita, 5 pero que me atrae de un modo irresistible, y cuanto más me doy cuenta de lo que me atrae, a sabiendas de lo que me irrita, me irrita, naturalmente, muchísimo más todavía.

Todas las comparaciones que se me ocurren para definir la clase de atracción que Nueva York ejerce sobre mí pertenecen 10 por entero al género romántico: la vorágine, el abismo, el pecado, las mujeres fatales, las drogas malditas... ¿Será, acaso, Nueva York una ciudad romántica?

Para mí, es la ciudad romántica por excelencia, y cuanto más desmedida la veo, la considero más inspirada; pero sobre 15 esto tendríamos que entendernos. El romanticismo de Wall Street no es del mismo orden que el del Puente de los Suspiros, y no sirve para los comerciantes retirados ni para los matrimonios burgueses en viaje de luna de miel. Decía un poeta español que, en Nueva York, las estrellas le parecían anuncios luminosos. A

mí, en cambio, los anuncios luminosos me parecen estrellas, y Nueva York es, en mi concepto, una ciudad romántica, no a pesar de su brutalidad y de su codicia, sino por ellas precisamente. Por su brutalidad y su codicia, por su estridencia, por su violencia, por su culto de las catástrofes, por su sacrificio constante del pasado y del porvenir al momento presente, por la organización comercial de sus crímenes y la organización criminal de sus negocios, por su clima contradictorio, desmesurado e incontrolable; por su afán de escalar el cielo haciendo cada año un edificio más alto que los demás, y, en suma, por su ilimitación.

Nueva York es, indudablemente, la ciudad más romántica del mundo moderno, pero no creo que esto baste a explicar su extraño atractivo, y mi problema sigue en pie: ¿Por qué me atrae de tal modo una ciudad que me irrita tanto? ¿Dependerá ello tal vez de una aberración mía? ¿Seré yo acaso un caso morboso? ¿Tendré en el fondo de mi conciencia algún complejo de un orden desconocido y necesitaré quizá los cuidados profesionales del profesor Freud?

No lo creo, porque Nueva York me atrae a pesar mío, como atrae a pesar suyo a todo el mundo moderno. Uno viene hacia aquí solicitado por el afán ineludible de vivir su época, ya que Nueva York está en el centro de esta época tan exactamente como el Cerro de los Ángeles en el centro de España. Visto desde Nueva York, el resto del mundo ofrece un espectáculo extemporáneo, semejante al que ofrecería una estrella que estuviese distanciada del punto de observación por muchos años de luz: el espectáculo actual de una vida pretérita, quizá envidiable, pero imposible de vivir porque ya pertenece a la Historia. Nueva York es, ante todo, el momento presente. Es el momento presente sin más relación con el porvenir que con el pasado. El momento presente íntegro, total, aislado, desconectado. Al llegar aquí, la primera sensación no es la de haber dejado atrás otros países, sino otras épocas, épocas probablemente muy superiores a ésta, pero en todas las cuales nuestra vida constituía una ficción, porque ninguna de ellas era realmente nuestra época. Nuestra época, sólo Nueva York ha acertado a encarnarla, y probablemente ésta es la verdadera causa de que la gran ciudad nos atraiga y nos rechace a la vez de un modo tan poderoso. Nos atrae porque uno no puede vivir al margen del tiempo, y nos rechaza por la estupidez enorme del tiempo en que le ha tocado vivir a uno.

El descubrimiento de España por los americanos

¿Quién ha dicho eso de que España está·a la última moda en Nueva York? La idea no tan sólo ha circulado profusamente por todo Madrid, sino que ha trascendido también a las columnas de los periódicos.

5 — Las neoyorquinas — se afirmaba ahí, y supongo que continuará afirmándose — van por el Broadway vestidas de majas y no bailan más que el garrotín. En los *restaurants* se comen cocidos y paellas. El vino de Jerez ha sustituído a todos los *American drinks*... Nueva York está loco por la música española,
10 por la pintura española, por la literatura española, por la cocina española. Los españoles son los amos de Nueva York...

Y se citaban casos: la Hispanic Society, museo español creado en pleno Nueva York por un millonario americano; el éxito de Sorolla; el estreno de *Goyescas* en el Metropolitan Opera House...
15 Huntington, Sorolla, Granados... Granados, Sorolla, Huntington... No cabía duda ninguna. Había que venir aquí sin perder tiempo.

Pero ya en el Broadway o en la Quinta Avenida las cosas cambian. En vano el español le imprime un aire muy cordobés a su sombrero americano; en vano les hace a los automóviles

recortes toreros; en vano, al andar, ajusta sus pies al ritmo de un pasadoble interior. O pasa inadvertido, o hace reír a la gente.

— ¡Ah! ¿Es usted español?

5 — Sí — dice uno, seguro del éxito.

— ¿Y de dónde es usted? ¿De Méjico? ¿De Nicaragua? Porque lo que entienden generalmente aquí por español es americano de habla española.

— No — rectifica uno —. Soy de España.

10 — ¿De España?...

Para los americanos, el ser de España es, indudablemente, una manera como cualquier otra de ser español; pero es la manera más vaga de todas, la más lejana y la que está más fuera del orden de sus conocimientos. Al poco tiempo, uno ve que el ser español

15 no es, en los Estados Unidos, ser absolutamente nada. En París y en Berlín se había llegado a crear todo un gusto y toda una inteligencia para las cosas españolas. No había en París *music hall* sin su pareja de bailarines andaluces, ni *cabaret* en el que no se tocase música española. Cada año se publicaban allí varias novelas

20 de ambiente español. La afición a España iba desde el *Bal Tabarin* al Colegio de Francia, y tomaba formas distintas según prendiese en el corazón de una griseta o en la cabeza del señor Morel-Fatio. Claro que a la mayoría de los españoles mucho más que Morel-Fatio les interesaban las grisetas. Nuestro españolismo ante ellas

25 era siempre un poco teatral. Ellas tenían de nosotros una idea romántica, a la que casi todos procurábamos adaptarnos para no desmerecer y para no perder prestigio. Españoles muy serios y muy pontevedreses, muy guipuzcoanos o muy de Villanueva y Geltrú, yo los he visto hacer de andaluces en los grandes

30 bulevares con una convicción estupefaciente. Luego todo este españolismo convencional pasaba a las páginas de las revistas humorísticas y a los escenarios de los teatros de *vaudeville*.

— Esos franceses nos pintan siempre como un pueblo de pandereta — decían entonces desde España algunas voces indig-

35 nadas —. Siempre los mismos toreros, siempre los mismos curas, siempre los mismos pronunciamientos y los mismos autos de fe...

Pero si los españoles de España sufrían con nuestra leyenda, los españoles de París se aprovechaban de ella...

Aquí no tenemos todavía leyenda, no tenemos aficionados, no tenemos público. Eso de que España está a la moda en Nueva York; eso de que en los *restaurants* neoyorquinos se come cocido 5 y se bebe jerez; eso de que las americanas, vestidas de majas o de manolas, bailan el garrotín en los grandes hoteles, todo eso es mentira. Y es mentira también lo de que a la gente le interese la música española o la pintura española más que la música o la pintura de cualquier otro país. 10

— ¿Y Sorolla? — dirán ustedes —. ¿No es cierto que Sorolla ha ganado un dineral en Nueva York? ¿Y Huntington? ¿No es cierto que Huntington ha gastado varios millones en la Hispanic Society? ¿Y Granados? ¿No es cierto que Granados ha estrenado su ópera *Goyescas* en el Metropolitan Opera House? 15

Sí. Es cierto lo de Sorolla, es cierto lo de Huntington y es cierto lo de Granados. Es cierto que hay un americano amante de España, como hay americanos amantes de la China, y es cierto que dos españoles han logrado sacar cabeza en Nueva York, donde la sacan tantos otros hombres de diferentes países. Es 20 cierto también que Francia, Inglaterra, Alemania, etc., están en guerra, y que muchos españoles que antes buscaban la vida por esos países han caído ahora sobre Nueva York, donde bailan o pintan o dan lecciones de su lengua natal. Y es cierto, además, que los americanos quieren aprender español para sus relaciones 25 comerciales con el resto de América.

De todos estos hechos, más o menos coincidentes, es, tal vez, de donde ha brotado la creencia de que España está a la moda en Nueva York; pero no hay tales carneros. Nosotros hemos descubierto América, y éste es el momento en que los americanos 30 no nos han descubierto a nosotros todavía.

La libre oportunidad

Aquí no se dice nunca que un hombre tiene, sino que un hombre vale tanto o cuanto dinero. Cada uno vale lo que tiene. Si yo salgo de mi casa con cinco dólares por todo capital, yo valgo exactamente cinco dólares; pero si me gasto en cenar dos dólares setenta y cinco, mi valor sufrirá una disminución lamentable. Es decir, que después de cenar, yo no valdré ni la mitad de lo que valía antes...

Estamos en la tierra de la *libre oportunidad*, esto es, en una tierra donde se supone que no hay clases ni privilegios y que todo el mundo tiene las mismas probabilidades de hacer fortuna. Así como en Europa puede darse el caso de un hombre inteligente y trabajador que no haga fortuna porque la organización social le niegue toda oportunidad de hacerla, aquí no. Aquí, según dicen los americanos, la oportunidad es idéntica para todos, y la fortuna de cada individuo está, por consiguiente, en relación directa con su valía personal. Tantos millones de dólares representan tantos millones de inteligencia, de iniciativa, de tenacidad o de audacia, y tanta audacia, tanta tenacidad, tanta iniciativa o tanta inteligencia, representan tantos o cuantos millones de dólares. Es como un

cheque. Usted viene aquí con una cantidad determinada de mérito personal, y lo realiza usted en seguida, en dinero contante y sonante. Y si usted no logra realizarlo, es que su cheque es falso y que usted no posee mérito personal ninguno.

5   De donde resulta que aquí el dinero se ha convertido en la medida de todos los valores. Los hombres valen según lo que tienen, y las cosas, según lo que cuestan. En los museos, para darle a uno una idea del mérito de los cuadros, se le dice a uno el dinero que han costado, lo cual, como procedimiento crítico,

10 no cabe duda de que es sumamente simplificativo. Y quien habla de cuadros habla de corbatas. Una corbata de tres dólares siempre es aquí mejor que una de dos, y no hay discusión posible sobre el asunto. ¿Que la corbata de dos dólares resulta de mejor gusto? ¿Que su color armoniza más que el de la de tres con el traje o

15 con la camisa? ¡Inútil! Las corbatas son como las personas, y si la corbata de dos dólares tuviera tres dólares de mérito, hubiese conseguido los tres en la venta. Eso de que una buena corbata no haga fortuna puede ocurrir en Europa, pero no en América, el país de la libre oportunidad. Aquí no hay castas, aquí no existen

20 privilegios, ni para los hombres ni para las corbatas.

    Y aquí, además, no se reconoce en el hombre más que una capacidad: la capacidad de hacer fortuna. Un hombre pobre es considerado aquí como un hombre incapaz, y nunca se piensa que ese hombre haya podido invertir su capacidad en cosas no lu-

25 crativas. Todo aquí tiene un común denominador, que es el dinero. La música viene a ser en América algo así como el petróleo, un medio de enriquecerse, y el talento del músico, igual que el talento del petróleo, se calcula por el dinero que produce.

    Todo lo cual nos parece repugnante a los europeos, quienes

30 lo llamanos grosero materialismo. Yo, por mi parte, lo encuentro de un idealismo admirable. Para mí, lo más idealista es convertir al dinero en medida de todas las cosas. Un país en donde los buenos poemas prudujesen tanto como las buenas minas y en donde todos los valores espirituales se redujesen a dinero, sería,

35 en mi concepto, mucho más idealista que esos países en los cuales hacer poesía es una cosa, hacer música otra, hacer pintura otra,

y hacer dinero otra completamente distinta. Desgraciadamente, en los Estados Unidos ocurre como en todas partes, esto es, que para hacer dinero, aquí no hay que dedicarse a hacer literatura ni escultura, sino que hay que dedicarse a hacer dinero. El caso de Rockefeller, por ejemplo, no podría producirse en música, 5 que es una materia difícil de monopolizar. Y aquí lo que ocurre no es que se le dé a cada hombre una cantidad de dinero correspondiente a su mérito personal, sino que se le atribuye un mérito personal en relación con el dinero que posee.

— ¿Fulano de Tal? Es un hombre de gran mérito. Vale tres 10 millones...

Un país de hombres solos

Hasta hace pocos años se puede decir que en los Estados Unidos no había mujeres. Éste era un pueblo de hombres solos. Los hombres venían aquí desde el viejo mundo, atraídos por la fama de riquezas fabulosas, o bien huyendo de la esclavitud

5 religiosa, económica o política de sus respectivos países. Hombres, hombres, nada más que hombres... Faltos de mujeres, estos hombres, jóvenes y robustos por lo general, se entretenían en tirarse unos a otros tiros de revólver, en domar potros salvajes, en dejarse caer desde los puentes sobre trenes avanzando a

10 80 kilómetros por hora, en incendiar viviendas y en escenas de linchamiento. Todo ese Far West tan romántico y tan cinematográfico, yo me lo explico sencillamente como un producto de la soledad masculina.

Positivamente, el Far West es un producto de la superabun-
15 dancia de hombres; pero hay todavía una consecuencia, más importante y actual, a sacar del hecho de esta superabundancia. Me refiero a los privilegios de que goza aquí la mujer, al exceso de prerrogativas legales y sociales que se le conceden. No es únicamente que el hombre tenga que fregar los platos

y que prepararle el biberón al chico. Es más, mucho más que
eso.

— Los americanos — me decía un amigo — se vanaglorian
de haber libertado a la mujer, y, en realidad, la han libertado;
5 pero para libertar a la mujer han esclavizado al hombre. Han
invertido los términos, lo cual no es solucionar nada. Si la esclavitud de la mujer en algunos pueblos de Europa constituye una
vergüenza, no es menos vergonzosa la esclavitud de los hombres
en los Estados Unidos.

10 Yo no veo la cuestión como mi amigo. Yo creo que en
España, por ejemplo, existe, en la relación de hombres y mujeres,
un principio de justicia que no existe aquí. La mujer española
de la clase baja es una esclava en la casa. Tiene que cuidar de los
chicos, que preparar la comida y que sufrir mil penalidades,
15 mientras el marido hace tranquilamente su partida de carambolas
o discute, ante unos chatos de montilla, las maniobras de
Hindenburg, o se va de juerga a la Bombilla o a las Ventas. En
cambio, la obligación de ganar dinero para comprar garbanzos
y para pagarle al casero, pesa toda sobre el marido. El marido es
20 tirano en su casa; pero es esclavo en la fábrica, en la oficina o en el
taller. Marido y mujer tienen cada uno sus ventajas y sus desven-
tajas. Hay un equilibrio en las relaciones de uno a otro. El
problema está, seguramente, mal solucionado; pero, al fin y al
cabo, posee una solución.

25 Aquí no. La mujer es libre a expensas del hombre, y esto
no está bien más que para las mujeres. A mí me parecería admirable — poniéndose de acuerdo no hay engaño — el que el
hombre hiciera la comida y zurciera las medias, siempre que la
mujer, a cambio de estos servicios, se pasara en la ciudad baja las
30 mañanas y las tardes, a fin de reunir el dinero necesario a la vida
de ambos. Que la mujer tome el puesto del hombre, ¿por qué
no?, pero que la tome por completo, con sus ventajas y sus
inconvenientes. Que juegue al *poker*, que discuta la política, que
baile *fox trots* en los *cabarets* mientras el marido adormece a los
35 chicos; pero que cuando la pisen en el tranvía se defienda con sus
propias fuerzas y no le haga al marido entablar un *match* de boxeo

con el autor del pisotón. Y lo que ocurre es que aquí la mujer
ha tomado el puesto del hombre en lo que tiene de ventajoso,
conservando a la vez su puesto de mujer en lo que también tiene
de ventajoso.

Todo lo cual, y mucho más, se deriva, principalmente, de   5
que aquí no ha habido apenas mujeres. La mujer es algo nuevo
en los Estados Unidos. Se la mira como a una diosa, con muchísimo respeto, aunque es mejor no mirarla, porque puede llamar
a un guardia y hacerle detener a uno.

selección 5

Toda América, Montecarlo

La vida está planteada aquí como una gigantesca partida de
poker. De un momento al otro se hacen y se deshacen fortunas
enormes. Hay quien tiene un dineral sobre la mesa; pero ¿quién
nos asegura que no estará arruinado dentro de una hora? Se hacen
5 *bluffs*, se farolea, se juegan los restos constantemente. El dinero
es audaz, emprendedor y generoso.

En otros países — en casi todos los otros países —, la vida
no tiene este carácter de juego que tiene aquí. Por regla general,
las fortunas son heredadas o ganadas de un modo muy laborioso,
10 y cada cual trata de conservar la suya. El dinero dijérase un
empleado modesto: cobra un tanto por ciento al año y lleva una
vida metódica, sin que jamás se le ocurra meterse en aventuras.
Un hombre verdaderamente emprendedor no tiene más remedio,
en Europa, que irse a una casa de juego, y se va, por ejemplo, a
15 Montecarlo.

— Montecarlo — me decía un americano — es lo mejor del
viejo mundo. Con la energía que ustedes derrochan allí, todavía
podrían hacer grandes cosas.

Aquí dijérase que todo es Montecarlo. El dinero va, viene,

— 19 —

cambia de dueño, se multiplica, se subdivide... Es un dinero joven, fresco y valiente, que todavía no ha sentado la cabeza. Constantemente uno siente la tentación de jugar, de comprar unas acciones o de meter sus ahorros en un negocio cualquiera, a ver si se hace rico o si se arruina. Es la forma en que está planteada la vida.

Los negocios tienen en América la misma emoción y el mismo interés dramático del juego. La historia de Rockefeller es la historia de un jugador. A veces Rockefeller ha arriesgado toda su fortuna a una carta, y si ha ganado fué porque sus contrincantes no se atrevieron con él y se retiraron.

Como en Montecarlo, el dinero en América carece de un valor fijo. Cuando yo tengo veinte duros en América, yo sé, naturalmente, que tengo 20 duros; pero no poseo una noción tan exacta del valor de esos 20 duros como si los tuviera en una ciudad europea. En cambio, cuando yo he tenido 20 duros en Europa, no sólo lo sabía, sino que lo sentía y lo subsentía. Así como hay una memoria muscular, en virtud de la cual podemos andar, pensando en cualquier cosa, y sin que a cada paso necesitemos ponernos a reflexionar para recordar que estamos andando y decidir adelantar el pie izquierdo sobre el derecho y el derecho sobre el izquierdo, así también en Europa hay una memoria muscular para el dinero que se posee. Cuando yo he tenido 20 duros en Europa, todos mis músculos lo han sabido, y yo he puesto una cara de 20 duros y he andado como andan en Europa todos los hombres que tienen 20 duros, y los mendigos lo han notado para pedirme limosna, y los cocheros lo han advertido para ofrecerme sus coches, y todo el mundo, en fin, me ha tratado en una forma, ni excesivamente respetuosa, ni nada despectiva, como diciéndome:

— Sabemos que no es usted un prócer; pero esto no quiere decir que sea usted un pordiosero. Usted debe de andar alrededor de los veinte duros...

En Europa el dinero tiene un valor fijo, que se ha ido determinando de generaciones en generaciones, y cuya noción es como un segundo temperamento del poseedor; pero en América no. Venir a América es como entrar en una casa de juego. ¿Quién sabe lo que valen 20 duros en una casa de juego?

Cada día se juegan aquí millones y millones. Los trenes, los automóviles, las líneas de telégrafo y de teléfono, todo esto son medios de que los puntos se sirven para hacer sus jugadas. Hay 5 quien viene a América en tercera y sale en un magnífico yate. Y hay quien trae una fortuna regular, y a poco de haber llegado tiene que saltarse la tapa de los sesos.

✝

Las cosas viejas

selección 6

de los pueblos nuevos

Una de las cosas más viejas que se dicen acerca de los Estados Unidos — escribía Óscar Wilde — es eso de que los Estados Unidos son un país muy nuevo. ¿Qué no hubiera escrito Óscar Wilde para *epatar* un poco a sus lectores? Claro que es
5 viejo eso de que los Estados Unidos son un país nuevo. Cuando los Estados Unidos estaban más nuevos era cuando más se decía. Pero, en fin, eso no se decía antes de Jesucristo ni antes de Cristóbal Colón. El dicho no es, en realidad, muy viejo más que para los Estados Unidos, que lo vienen oyendo desde su
10 infancia.

Los Estados Unidos son un país nuevo, no cabe duda. Lo que ocurre es que en los países nuevos es donde se encuentran las cosas más viejas del mundo. Hablando con un americano, uno tiene a veces la sensación de hablar con un inglés de los tiempos
15 de Crómwell. El puritanismo inglés apenas si ha dejado vestigios en la Inglaterra moderna. En los Estados Unidos, en cambio, y especialmente en Boston, se vive en plena exaltación puritana. Yo podría citar infinidad de leyes americanas determinadas por un puritanismo que dejaría estupefactos a los ingleses.

— 23 —

¡Los países nuevos! He aquí la América española, que debiera ser como una España juvenil, libre de todo prejuicio. Pues en gran parte de la América española se vive hoy como en la España del año de la Nanita. Lo que hay de nuevo ahí no tiene nada de español. Lo que hay de español es viejísimo. En la América española se conservan costumbres que han sido abolidas ya en los rincones más ocultos de España. ¿Y las formas de lenguaje?

— Buenos días, señor licenciado — le dice un mejicano a otro —. Tenemos que platicar...

El caso de los países nuevos es el caso de esas tertulias españolas que los que hemos viajado algo hemos visto en las grandes capitales europeas. Parece que los españoles que llevan largos años de residencia en París, en Londres o en Berlín deben de tener una mentalidad más europea que los que viven en España, y, generalmente, ocurre todo lo contrario. Yo he visto por esos mundos a españoles citando constantemente períodos de Castelar y versos de Núñez de Arce. Si hubieran estado en España, esos hombres hubieran evolucionado como los demás. Fuera de ella, guardan el espíritu y la visión de la España que conocieron. En una reunión española de París o Berlín, uno tiene a veces la sensación de encontrarse en un polvoriento casino de provincias. ¿Qué no ocurrirá en la América española, adonde no llega, desde hace siglos, una influencia directa y eficaz de España?

Los Estados Unidos se encuentran en el mismo caso. Son, en cierto modo, un pueblo mucho más viejo que Inglaterra. El puritano americano es algo que Inglaterra no concebiría más que entre las figuras de cera de Madame Tussaud. Sus maneras, su lenguaje, su traje mismo, no lo usa ya en Inglaterra absolutamente nadie.

El caso de Alemania tal vez tenga alguna relación con todo esto. Siendo Alemania uno de los países más nuevos en la civilización europea, es uno de los que tienen una preocupación más grande por su pasado, y esto se explica precisamente porque su pasado está relativamente fresco, y porque Alemania puede recordarlo con mucha más facilidad que Francia, España o Italia podrían recordar el suyo. Como es un país joven, Alemania tiene un espíritu viejo, y esto es, probablemente, lo que les ocurre a todos los países jóvenes.

Por donde resulta que acaso tenga razón Óscar Wilde al decir que eso de llamarle a los Estados Unidos un país nuevo es casi casi una chochez.

Psicología de las catástrofes

Si todavía no lo han leído, no tardarán ustedes mucho en leer el siguiente telegrama: « *Nueva York*. — Una nevada formidable ha caído sobre la ciudad. La nieve permanece en las calles desde hace quince días. Se ha interrumpido el servicio de tranvías y el de los ferrocarriles elevados. El número de accidentes 5 ocurridos a causa de la nevada pasa de 700. Las pérdidas que ha sufrido el comercio se calculan en 15.000.000 de dólares... »

Todos los años, Nueva York le transmite al mundo, por lo menos, un telegrama de ese corte. El mundo lo lee y exclama:

— ¡Ese Nueva York!... Indudablemente es un país extra- 10 ordinario. Siempre grande, hasta en sus catástrofes...

Por mi parte, yo no creo que en Nueva York nieve más que en Rusia, que en Alemania o que en Suiza, sino que los americanos saben organizar sus nevadas mejor que los suizos, que los alemanes y que los rusos. He visto ya nevar aquí y he observado el partido 15 enorme que esta gente saca de sus nevadas. Lo primero que hacen los americanos en cuanto comienza a caer sobre Nueva York un poco de nieve es interrumpir el tráfico, y esto basta por sí solo a producir un trastorno formidable en la vida de la gran

ciudad. El comercio pierde sumas fabulosas; los accidentes se
suceden unos a otros...

Cesa de nevar, y en vez de retirar la nieve que ha quedado
sobre las calles, el Municipio la deja en ellas. Y así, nada más que
5 con un ligero esfuerzo administrativo, una nevada de veinti-
cuatro horas, que en cualquier ciudad europea carecería de
importancia, llega aquí a adquirir las proporciones de un acontecimiento mundial.

Es indudable que las catástrofes han hecho tanto como los
10 rascacielos para acreditar de genio de lo formidable al genio del
pueblo americano. Cuando uno se convence en Europa de que
aquí hay las catástrofes más grandes del mundo, no está lejos de
creer que haya también las fábricas más grandes del mundo, y
las casas más grandes del mundo, y los puentes más grandes del
15 mundo, y los tenores más grandes del mundo. Por eso cultivan
los americanos sus catástrofes con tanto esmero.

Pero no todo es utilitario en esta sabia explotación de
catástrofes. El americano siente, además, la necesidad espiritual
de vivir en un ambiente catastrófico. Gran parte de las patadas
20 y los codazos que suelen administrarse unos a otros los americanos
en el *Subway*, yo no creo que sean realmente indispensables.
¿Por qué, pues, no suprimirlos? Pues para darle a la vida un
carácter áspero, desagradable y enérgico, y para plantearla como
una lucha. Esto, a más de americano, es portugués y es de
25 Tarascón; pero, sobre todo, es americano. Viene en gran parte
de las praderas, donde el combate contra la naturaleza y contra
el prójimo no ha terminado todavía por completo. Pisotones,
codazos, andares de boxeador, algodón en las hombreras... El
americano necesita forjarse la ilusión de que es un hombre muy
30 enérgico en un mundo terrible, y llevado de este instinto llega
a hacer enérgicamente actos que no exigen energía ninguna.
¿Qué necesidad hay, por ejemplo, de encender un pitillo en una
forma muy enérgica? ¿Para qué ponerse el gabán con una gran
energía? ¿Cuál es el objeto de mirar el reloj y ver la hora enérgi-
35 camente?

A primera vista, todo esto resulta inexplicable. Sin embargo,

ya hemos convenido en que una simulación perfecta equivale a una realidad. Dándole a su vida una apariencia muy enérgica, los americanos logran conservar en ella energías que tal vez perdiesen de otro modo. Y si ello es así, ¿cómo no van las autoridades a cultivar con especial esmero cualquier catástrofe que se presente? 5
¿Qué estímulo sería mejor para desarrollar la energía americana?

Comienza a nevar, y a la media hora los periódicos anuncian tres pulgadas de nieve. Sigue nevando, y siguen lanzándose ediciones de periódicos. Cada periódico quiere anunciarle a sus lectores más nieve que ningún otro, y si el *New York Journal* a las 10
cinco de la tarde, le sirve cuatro pulgadas a su público, el *Evening Telegram*, quince minutos después, le administra al suyo dos palmos. La gente, como es natural, estimando en lo que valen la generosidad y el esfuerzo del *Evening Telegram*, agota la edición, y el *Evening Telegram*, correspondiendo al favor popular, lanza una nueva 15
edición, en la que la nieve ha subido a tres palmos y en la que ya aparecen algunas víctimas... En Madrid, cuando cae una nevada, los periódicos no ven más que su aspecto literario. Aquí lo único que interesa es el aspecto catastrófico. Leyendo las informaciones del *Evening Telegram*, uno se imagina que vive en un mundo 20
terrible, y la guerra europea parece un juego de niños comparada a las catástrofes de este Nueva York, especie de *Grand Guignol*, dedicado a darle emociones fuertes al mundo...

Los rascacielos de la ciudad baja

Los rascacielos del bajo Nueva York no son solamente los edificios más altos del mundo, ni los más caros, ni los mejores, ni los peores, sino que, además, son los más viejos.

¿De qué pasado remoto salen todos estos espectros? ¿A qué
5 tumbas prehistóricas han sido arrancadas unas momias semejantes? ¿Qué diluvio universal han conseguido evadir tales dinosauros arquitectónicos?

Ello es que no hay en todo el orbe estructuras que no produzcan mayor impresión de arcaísmo y vetustez. Las pirámides
10 egipcias no son viejas. Al contrario. Con sus tres o cuatro mil años bien corridos, constituyen todavía la última palabra en cuestión de pirámides, y quien habla de las pirámides egipcias habla de los templos mayas, o de las catedrales románicas o góticas. ¿Conciben ustedes una catedral románica más a la
15 moderna que la catedral de Santiago, o una catedral gótica más vanguardista que la catedral de Burgos?

En cambio, yo no concibo vejestorios mayores que estos rascacielos de hace cinco, diez, quince y veinte años, cada uno de los cuales marca el período de transición hacia otro. Desde luego

hay que reconocer que la fealdad de estos rascacielos es, en gran parte, culpa de Europa. Cuando los americanos empezaron a construirlos, Europa se les echó encima diciéndoles que eran unos bárbaros, y que aquellas estructuras, puramente utilitarias,
5 constituían un atentado a la belleza. La gritería fué tal, que los americanos, perdido el valor de sus convicciones, cuando hacían una casa de cincuenta pisos la disfrazaban de templo griego, a ver si pasaba, y cuando edificaban una estación de ferrocarril la revestían, para disimular, de Giralda de Sevilla. Imagínense
10 ustedes el resultado. La ciudad baja de Nueva York, vista un domingo, cuando los edificios están vacíos y nadie transita por las calles, parece un cementerio de monstruos, algo así como un corte geológico que dejase al descubierto fósiles gigantescos de las épocas más diversas.

15   Los rascacielos del bajo Nueva York carecen de estilo, y al decir estilo no me refiero tan sólo a la apariencia externa, sino a todo: a la apariencia externa, a la función interna y a la relación entre una y otra. Hoy un rascacielos de hace diez años resulta tan anticuado por dentro como por fuera. Consideren
20 ustedes que el rascacielos es una máquina, y que las máquinas envejecen en cuanto son superadas por otras. ¿Qué es lo que les produce a ustedes una impresión de mayor anacronismo: un hombre a caballo o un hombre montado en un triciclo? Pues los ascensores del Singer Building, por ejemplo, son, como si dijéra-
25 mos, los triciclos de los ascensores, y a su lado resultaría moderna la escalinata de piedra más carcomida por los siglos.

   Poco a poco, sin embargo, el rascacielos va tomando su forma. No digo que el Empire State Building no resulte anti-cuado el día de mañana, pero jamás resultará tan anticuado en
30 relación a ningún rascacielos futuro como resulta el Woolworth Building en relación a él. Por de pronto, el rascacielos no tiene ya aquel complejo de inferioridad que le hacía avergonzarse de sí mismo. Ya no se esconde. Ya no se disfraza de catedral gótica ni de terma romana, sino que va directamente a buscar su propia
35 forma de expressión.

   Y si el Empire State Building resulta anticuado el día de

mañana, tanto más de admirar es su belleza de hoy, sabiéndola
tan fugaz y transitoria, y sabiendo, además, que en cada uno de
estos ensayos, que el viejo mundo resuelve sobre el papel, Nueva
York es capaz de gastarse cuarenta o cincuenta millones de
dólares.   5

Narices en serie

¿Se acuerda usted, mi querido e ilustre doctor Hinojar, de cuando ahí en Madrid quería usted sacarme un hueso de la nariz?

— Pero hombre de Dios — solía decirme usted, indignado
5 ante mi resistencia —. ¿Para qué necesita usted ese hueso?

— ¿Y usted? — le replicaba yo —. ¿Es que lo necesita para algo?

Me buscaba usted por todas partes, me convidaba a café, me ofrecía puros, y yo estaba cada vez más escamado. Seguramente,
10 si yo me hubiera dejado sacar el hueso, usted me hubiese hecho un buen regalo en justa compensación; pero ni por ésas. ¡Qué quiere usted! Mi nariz será buena o mala, pero es mi nariz, y no sólo constituye parte principal de mi fisonomía, sino que es, a la vez, un factor importantísimo de mi carácter. Tendrá pólipos o
15 adenoides y no me permitirá respirar bien, lo que acaso me ponga frecuentemente de mal humor; pero ¿qué derecho tengo yo a cambiar, al cabo de los años, de humor ni de aspecto? Si en las tertulias madrileñas los amigos se sorprenden tanto cuando uno se presenta ante ellos con un traje nuevo, considerando este acto

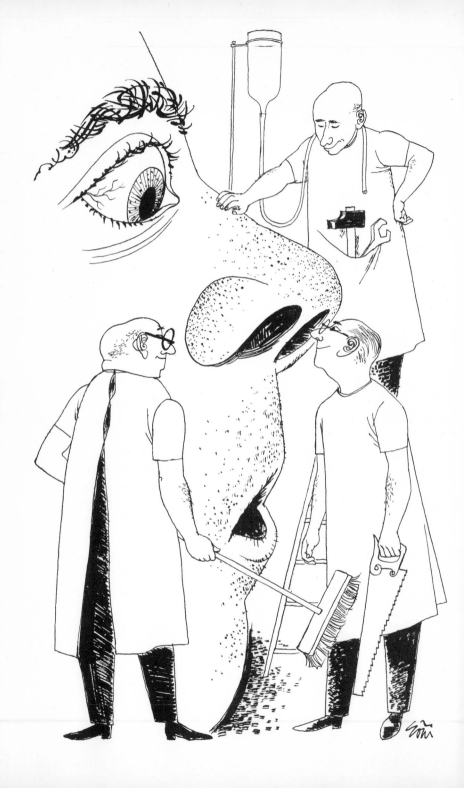

casi como una deslealtad, ¿qué indignación no sería la suya al vernos aparecer de pronto con toda la psicología renovada?

Por todo esto, querido Hinojar, es por lo que he defendido mi hueso con tanta insistencia, y no por una vana conquetería ni
5 por falta de voluntad para prestarle a usted un servicio; pero he aquí que en Nueva York, sintiéndome un poco malo, he ido a ver un médico, y este médico, no solo ha querido sacarme el hueso en cuestión sino que, con el hueso, quería sacarme doscientos dólares.

10 — ¿Doscientos dólares? — no pude menos de exclamar.

— Es el precio mínimo — me dijo el médico —. Considere usted que tendremos necesidad de aplicarle el cloroformo y que el coste de la cloroformización va incluído en los doscientos dólares.

— Desde luego, doctor. Ya me figuro que para cobrarme
15 doscientos dólares pensarán ustedes cloroformizarme.

— No hay más remedio. De otro modo, la extracción resultaría sumamente dolorosa.

— ¿La extracción de los doscientos dólares?

— No, no — aclaró el hombre, muy divertido al ver cómo
20 yo trabucaba en inglés unos conceptos con otros —. La extracción del hueso, naturalmente...

Yo hubiera dejado las cosas aquí; pero un amigo se empeñó en llevarme a un hospital donde podían sacarme el hueso gratis, aunque sin *amore*. ¡Horror, querido Hinojar! Aquel hospital me
25 produjo exactamente la misma impresión que me habían producido en su día las fábricas Ford o los mataderos de Chicago.

— ¿Cómo quiere usted — le dije a mi amigo — que yo venga aquí con mi nariz, para que esos bárbaros le pongan un número y me la traten en serie? ¿Podría usted resignarse algún
30 día a perder toda su personalidad y ser tan sólo, por ejemplo, la nariz número 628.435?

— ¡Pero que nariz ni que narices! — respondía mi amigo —. Lo que debe usted considerar es que aquí hay una organización excelente, que la asepsia es perfecta, y que cada uno de estos
35 cirujanos hace de cincuenta a cien operaciones diarias, y que todos ellos tienen una práctica formidable...

Es el gran argumento: la práctica quirúrgica. ¡Como si cuando uno quisiera tomarse unos buenos huevos fritos eligiese de preferencia aquellos establecimientos donde el cocinero fríe de cincuenta a cien pares por hora! ¿Pero es que el cuerpo humano puede tratarse así, al por mayor, como se tratan las manufacturas comerciales? ¿Es que mi nariz va a entrar en esta gran cadena de narices que un hombre anestesia aquí, a medida que pasan ante él, otro abre allí, otro limpia allá y otro sala acullá? ¿Es que basta la anestesia para reducir nuestra carne a materia industrial y poder aplicarle los métodos de la producción en masa?

Y aquí me tiene usted, mi querido Hinojar, todavía con el hueso. No se lo prometo a usted en firme, pero, desde luego, si algún día me decido a separarme de él, será para ofrecérselo a usted, que no lo considera industrialmente como uno de tantos huesos de una de tantas narices, sino que lo ha distinguido siempre con una atención especial y con un interés humano.

Trajes en serie

Días atrás, necesitando remozar un poco mi ropero con algún traje de primavera, me fuí a un almacén de ropas. Allí me tomaron las medidas y me dieron a elegir tres o cuatro modelos de diferentes colores.

5 — Éste — dije yo.

— Muy bien — exclamó el vendedor —. ¿Quiere usted ponérselo?

Yo lo intenté con la mejor voluntad del mundo, pero me fué imposible conseguirlo.

10 — No quepo — le dije al vendedor.

— Pues ésta es su medida — me repuso.

— ¿Mi medida? — exclamé, asombrado.

— Sí, señor. Su medida. Fíjese usted. Tantas pulgadas de pecho, tantas de hombros, tantas de pierna.

15 — Y la barriguita, amigo mío, ¿quiere usted decirme qué hago con ella?

— ¿La barriguita? — repuso el hombre, no sin escandalizarse un poco —. Usted verá. Eso es cosa de usted.

— ¿Cómo cosa mía? ¿Es que usted, como sastre, se niega

a tomarla en consideración? ¿Pretende usted, acaso, que yo salga de aquí con la barriga al aire?

— Yo — me dijo entonces el vendedor — le he escogido a usted el traje que corresponde a su estatura y a su anchura de
5 hombros, y, si este traje no le sienta a usted bien, no es por culpa de la casa. El traje está perfectamente cortado.

Naturalmente, el vendedor quería insinuar que el que estaba mal cortado era yo, y esta insinuación me molestaba mucho, no tanto, precisamente, desde un punto de vista estético como desde
10 un punto de vista jurídico. Yo creo, en efecto, que tengo un perfecto derecho a descuidar mi corte. Ya sé que no soy, ni mucho menos, un Rodolfo Valentino; pero no es esto lo que me indigna, sino el que se me niegue la libertad de no serlo.

— ¿Por qué no hace usted un poco de gimnasia? — me
15 dijo, por último, el vendedor.

Y en este consejo, dado con la mejor buena fe del mundo, está todo el principio de la industria americana, que consiste, según he dicho tantas veces, en estandardizar a los hombres para poder estandardizar las mercancías. Yo no hago gimnasia porque
20 opino que si un traje no me sienta bien es en él y no en mí donde hay que quitar o añadir tela. Es decir, yo supongo que un traje puede no sentarme bien, y nunca se me ocurriría pensar que yo no le siente bien a un traje. Entre el traje y yo, la realidad inmutable me parecerá siempre que está representada por mí, y
25 jamás, aunque viva mil años en América, consideraré que está representada por el traje.

El caso fué que salí del almacén de ropas lo mismo que había entrado, esto es, sin comprar traje ninguno. Días después me recomendaron otra tienda, especializada en trajes para gordos,
30 y, aunque yo no he querido nunca reconocer oficialmente mi gordura, allá me fuí para experimentar un segundo fracaso mucho más ruidoso todavía que el primero. Resulta que yo soy demasiado gordo para los trajes de flacos y demasiado flaco para los trajes de gordos; que no estoy estandardizado en ninguna de ambas
35 categorías, y que no puedo vestirme como los unos ni como los otros.

Y, como necesito urgente e imperiosamente un traje, no he tenido más remedio que ponerme en manos de un sastre particular que me lo haga, cosa que a ustedes les parecerá perfectamente normal, pero que no lo es, porque aquí, donde, dentro de los cuatro grupos de gordos y flacos y altos y bajos, todo el mundo ⁵ tiene las mismas medidas, decir un sastre particular viene a ser algo así como decir un sastre ortopédico.

Crímenes en serie

Comienzo a sospechar que, al buscar en los crímenes de Nueva York y de Chicago una determinante psicológica, me he pasado un poco de listo. Probablemente, los crímenes de Nueva York y de Chicago no tienen mucha más psicología que los
5 tractores Ford, las máquinas Singer, los periódicos de Hearst, la Gillette o la Coca-Cola. Son una de tantas manifestaciones de la producción en masa, y resulta completamente ridículo el escandalizarse ante ellos.

El extranjero que llega a Nueva York y compra el *Daily*
10 *News* o el *Daily Mirror*, donde se describen con pelos y señales los cincuenta o sesenta asesinatos que se cometen al día en la gran ciudad, piensa que los instintos criminales han alcanzado aquí un desarrollo espantoso. Pero ¿quién le asegura a ese extranjero que los asesinos americanos matan por instinto? Es como si, en
15 vista de las manifestaciones que hace el juez Lindsey en su *Rebelión de la juventud moderna*, se supusiera que las chicas son aquí más depravadas que en otras partes. Lo único que ocurre es que en el país y la época de la serie hay que producirlo todo en serie, el vicio igual que la virtud, y el crimen lo mismo que la Coca-Cola.

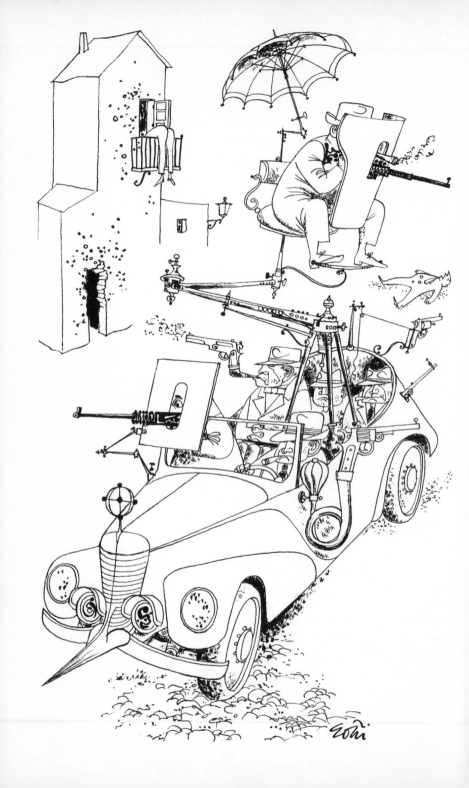

¡Aviado estaría el criminal que quisiera trabajar en América por su cuenta! Para que el crimen no les resultara un negocio ruinoso, los criminales americanos han tenido que organizarlo, fatal e inexorablemente, en una escala formidable, y Al Capone ha sido
5 algo así como su Henry Ford. Dígase lo que se quiera, los magistrados cuestan bastante caro, y sólo unos sindicatos muy poderosos pueden hacerles ofertas convenientes. La compra de policías y testigos también supone un capital importante, y no hablemos del material. El material con que trabajan hoy los industriales
10 del crimen en Nueva York y Chicago — fusiles ametralladores, bombas de mano, automóviles blindados, aeroplanos, etc., etc. — está tan especializado como el de un ejército, y su importe se eleva a sumas verdaderamente fabulosas.

Ahora bien: comprenderán ustedes que no se va a montar
15 una organización de esta importancia para cometer tan sólo dos o tres asesinatillos por semana en lugares apartados y aprovechando las sombras de la noche. No. A fin de sacarle el debido rendimiento al capital empleado, es preciso asesinar a todas horas y en todos los lugares, asesinar al por mayor, como si dijéramos,
20 aplicándole al asesinato las normas generales de la producción en masa. Todos los días se comete en Nueva York un promedio de cincuenta crímenes, y aunque los sindicatos no fuesen tan poderosos, sería inútil preguntar por sus autores. ¿Que quién ha matado a este ciudadano? ¿Y quién le ha hecho el traje o los
25 zapatos? Este ciudadano se ha vestido siempre con ropas de serie, se ha alimentado con comidas de serie y, a la hora de morir, ha muerto víctima de un asesinato de serie.

Y esto último es, acaso, lo más triste de todo, porque, en fin, uno tiene una idea algo romántica del crimen y no se aviene
30 fácilmente a admitir su industrialización. Es decir, a uno le parece bien, hasta cierto punto, que el criminal sea un monstruo y que experimente un placer al matar; pero uno rechaza con la mayor repugnancia la idea de que no lo sea y de que mate sin experimentar en ello satisfacción alguna. Los criminales, en nuestro
35 concepto, tienen que proceder por inspiración, lo mismo que los poetas, y estos criminales americanos que trabajan anóni-

mamente para tal o cual firma, como unos obreros o unos oficinistas cualesquiera, no podrían subsistir, con todos sus millones, en un país que tuviera algo más desarrollada la sensibilidad artística.

Hands Up!

Días atrás un gitano se encontraba con algunos amigos, españoles todos ellos, en una casa de comidas, cuando entraron los hombres de los pistolones pronunciando la frase sacramental:

— *Hands up*! (¡Arriba las manos!)

5 El gitano obedeció, igual que todo el mundo, levantando sus manos por encima de la cabeza. Y al cabo de un rato, como los atracadores, que parecían primerizos, no procediesen con la rapidez debida, nuestro hombre irguió el busto, hizo un quiebro de cintura, y, dirigiéndose a sus amigos, exclamó:

10 — Pero *¿e que vamo ja bailá*? (¿Pero es que vamos a bailar?)

Yo haría con estas palabras un letrero luminoso — nada de esculpirlas en mármoles ni grabarlas en bronces, procedimientos anunciadores demasiado anticuados —, para ejemplo de los vecinos de Nueva York. Tengo para mí que lo que falta aquí es, 15 pura y simplemente, algo de gitanería. Los americanos, excepción hecha de los negros, no tienen el menor sentido del ritmo ni de la plástica, y no ven lo ridículo que resulta adoptar actitudes coreográficas ante dos o tres ciudadanos de aspecto patibulario, que pretenden llevarse por el terror el dinero de los otros. No es falta de valor. Todo se les podrá achacar a los americanos menos eso. Es falta de armonía, es falta de gracia corporal, y, como consecuencia de todo ello, es falta de un cierto sentido del humor. El humor británico, suponiendo que los judíos, y los persas, y los eslavos, y los chinos de Nueva York lo posean, podrá ver lo grotesco de ciertas actitudes mentales o espirituales, pero difícilmente tendrá la misma lucidez respecto a actitudes corporales equivalentes.

Cuando un hombre tira de pistolón, en cualquier sitio de Nueva York que sea, ya puede haber allí cincuenta personas o quinientas: todas levantarán las manos, con tal rapidez y unanimidad como si ello no fuera un acto reflexivo, sino un reflejo condicionado. A nadie se le ocurre que el levantar las manos no constituye un procedimiento de defensa contra el pistolero, sino todo lo contrario, ni que, si el público de los *holdups* se negase de una manera sistemática a levantarlas, los pistoleros harían algunas víctimas al principio, pero pronto tendrían que abandonar el negocio. Yo sospecho que es el cine quien tiene en esto el mayor tanto de culpa. Los primeros neoyorquinos que se encontraron ante un pistolero, recordando las películas del Far West que habían visto, levantaron las manos, y desde entonces todos siguen levantándolas, como si la cosa hubiese quedado convenida para siempre. Es un automatismo análogo al de quitarse el sombrero en el ascensor cuando entra alguna señora, porque, en fin, yo no veo la galantería de descubrirse ante las señoras en los ascensores para cubrirse, en su propia presencia, tan pronto como se llega a los pisos.

— Pero ¿es que vamos a bailar? — decía el gitano.

Y uno de los amigos que había con él respondió:

— Como bailarás de veras será en cuanto se te ocurra bajar las manos.

La American Girl

La gran creación de América es la *American girl* o chica americana.

« ¿Cómo es posible — se pregunta uno a veces — que un producto tan fino se haya logrado en serie, como los coches Ford
5 o las plumas Waterman? »

Porque, desde luego, la chica americana es, sin disputa, la más guapa del mundo. La madrileña tendrá los ojos más bonitos y la parisiense tendrá la nariz más remangada. Ésta será más graciosa, aquélla más picaresca, la otra más elegante, etc.; pero si las chicas
10 de aquí o de allí pueden vencer en detalle a la chica americana, sería preciso que se reuniesen todas ellas y combinaran sus diversos encantos para vencerla en conjunto.

La cosa es mucho más seria de lo que parece, amigo lector. No estamos en presencia de unas chicas más o menos monas,
15 sino de unas mujeres de cuerpo entero, tan extraordinariamente hermosas, que uno no se atreve casi a levantar la vista hacia ellas. Parecen seres de una especie superior, y aun cuando se ponen a mascar goma, lo hacen con un aire y una majestad de diosas.

Ahora bien: ¿creen ustedes que mujeres de esta categoría

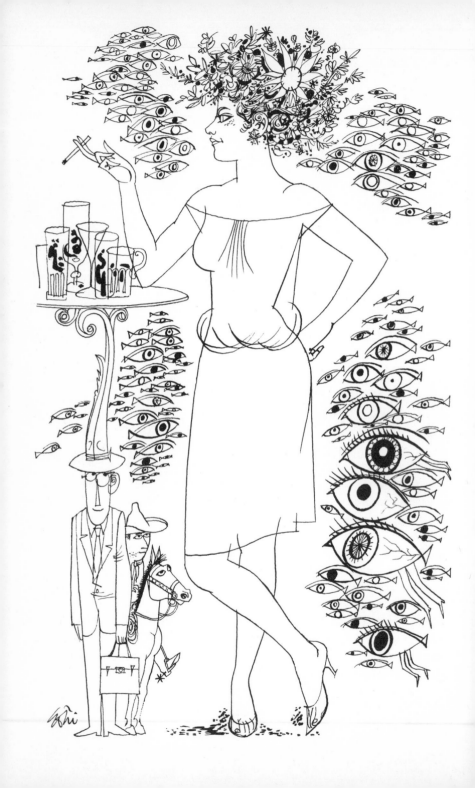

necesitan unas leyes especiales que las protejan? Yo me explicaría
más bien todo lo contrario, esto es, que los senadores se reuniesen
en Wáshington para garantizar contra ellas la vida y la hacienda
de los hombres; pero ¿qué defensa necesita aquí la mujer? ¿Qué
5 peligro puede suponer para ella el pobre ciudadano que se pasa
el día en la oficina y al que no le queda nunca una hora libre para
el deporte ni para la lectura?

En una colectividad donde los hombres se diesen verdadera
cuenta del hecho que constituyen unas mujeres tan guapas, se
10 hubiese comenzado por reducirlas al estado de esclavitud, lo que
valdría la pena por sí mismo, y sería, además, una medida de
precaución contra posibles trastornos sociales; pero aquí se ha
procedido al revés, y el resultado es que las mujeres no sólo
parecen diosas, sino que lo son efectivamente. Son diosas, y,
15 convencidas de su condición divina, no hay nada en el mundo
que las arredre. Toda la intrepidez y toda la audacia de la *American
girl* se explican como se explica la serenidad de Atahualpa cuando
los jinetes españoles, corriendo a pleno galope por la llanura de
Caxamarca, se pararon en seco tan cerca de él, que uno de los
20 caballos le manchó con el hocico el manto real. Las personas del
séquito de Atahualpa, que no habían visto nunca un caballo,
se hicieron instintivamente atrás; pero el inca no pestañeó
siquiera. Desde su nacimiento le habían dicho que era invulnerable, y, como hasta aquella fecha no le había vulnerado nadie,
25 él estaba completamente convencido de su invulnerabilidad ante
todos los monstruos conocidos y desconocidos.

Pues como para el inca Atahualpa, para la *American girl*
tampoco existen peligros. Es una chica sana, alegre e intrépida,
que puede fumar dos cajetillas diarias, bailar cien bailes y beber
30 quince *coctails*; una chica que exhibe sus piernas ante los hombres
con la misma despreocupación con que podría exhibirlas ante unos
animales familiares, a los que no les interesara nada el espectáculo,
y que, a pesar de unas leyes que le dan toda clase de facilidades
para la estafa, suele ser la mejor amiga y la mejor compañera
35 del mundo.

La nueva literatura

No me hablen ustedes de Teodoro Dreiser, ni de Upton Sinclair, de Sinclair Lewis, ni siquiera de Eugenio O'Neill. Todos estos escritores huelen a rancio y representan la última supervivencia del espíritu europeo en la literatura de los Estados Unidos. Si yo hubiese tenido que votar a un escritor verdadera- 5 mente americano para el premio Nobel, hubiera votado sin la menor vacilación a Anita Loos, la deliciosa autora de *Gentlemen Prefer Blondes*; pero, en realidad, la verdadera creación literaria de América es su *advertising literature* o literatura comercial. Yo compro aquí todos los días alguna revista, so pretexto de leer 10 tal o cual artículo, y, en cuanto mis ojos tropiezan con un anuncio, todos los artículos me resultan ñoños, estúpidos y pesados. ¡Qué gracia, qué interés, qué variedad, qué arte, qué continua lección de cosas contienen las revistas americanas en sus páginas de publicidad! El hojear cualquiera de ellas constituye para mí 15 un espectáculo tan divertido — y tan instructivo — como el de pasarme una hora viendo escaparates en el Broadway o en la Quinta Avenida.

« ¿Para qué vivir — dice, por ejemplo, una empresa de

pompas fúnebres — cuando por treinta dólares podemos hacerle a usted un entierro magnífico?»

Y, en mi concepto, esta pregunta vale mucho más que todo el *Babbitt* y es mucho más americana, y tiene mucho más humor y revela mucha más psicología. 5

Desde luego es, ante todo, en el anuncio donde encontramos la aportación inconfundible del pueblo americano a la literatura universal y, mientras la crítica ignore este hecho o lo considere desdeñable, el arte literario moderno, tanto en América como fuera de ella, carecerá de explicación. Hay que considerar, en 10 efecto, que todos los anuncios que se publican en el mundo son siempre un poco americanos, y que toda la literatura moderna está influída por la literatura de anuncios. No me refiero a Joyce ni a ninguno de esos literatos que, en mi sentir, representan más bien el fin de una época que el comienzo de otra. Me 15 refiero al afán de precisión, brevedad y *directness* tan evidente en cualquier escritor actual.

Claro está que la novela y la poesía sólo son cultivadas aquí por hombres de segunda clase, ya que, tan pronto como se revela en América un escritor de verdadera originalidad y de positivo 20 talento, es acaparado por las casas anunciadoras; pero esto no basta a explicar la fuerza de la literatura comercial americana. La literatura comercial americana no es un hecho artificial, sino un hecho tan biológico como la literatura caballeresca de la Edad Media. Es la expresión de una época, de una moral, y de un tipo 25 de vida que no habría medio de expresar en las formas literarias tradicionales. Es, en fin, la única expresión literaria posible del genio americano. Yo diría que la literatura comercial americana equivale a nuestra literatura mística, y para los que hayan oído hablar del sentido reverencial del dinero y sepan lo entremez- 30 clados que andan siempre en la conciencia puritana el espíritu comercial y el sentimiento eclesiástico, no diría despropósito ninguno. Aquí la catequización religiosa ha tenido siempre algo de propaganda comercial, y la propaganda comercial, a su vez, tendrá siempre algo de catequización religiosa. Vean ustedes, por 35 ejemplo, esos carteles que hay ya en todas las casas de banca del mundo. « Un sitio para cada cosa y cada cosa en su propio sitio. » « El tiempo es oro.» « Dénos usted su dinero y nosotros le daremos a usted nuestro tiempo,» etc., etc. ¿No advierten ustedes en estas máximas algo así como una vaga reminiscencia de la Biblia?

No. No hay que considerar la literatura comercial americana como una literatura desprovista de contenido espiritual. Tiene, por lo menos, tanto contenido espiritual como contenido mercantil. Tiene, en fin, todo el contenido espiritual que puede y que debe tener: el de su pueblo y el de su época, que es una época en la que van entrando ya todos los otros pueblos.

La pulmonía del pobre

Yo siempre he sospechado que la ciencia llegaría un día a curar todas las enfermedades menos una: el catarro nasal o constipado de cabeza. No sé si es que la ciencia no le reconoce al catarro nasal mayor importancia o si es el catarro nasal quien no quiere reconocer la importancia de ella, pero el resultado 5 viene a ser el mismo y de ahí el que en los Estados Unidos, según las últimas estadísticas, haya nada menos que cuatrocientos cincuenta millones de resfriados al año. ¡Cuatrocientos cincuenta millones de resfriados para sólo unos ciento treinta y cinco o, a lo sumo, ciento cuarenta millones de narices! ¿No les parece a 10 ustedes que esto constituye un verdadero despilfarro?

Desde luego no es que a mí me interese de una manera especial lo que se puede estornudar o toser en Ohío ni en Iowa, pero supongo que si en esos estados el promedio anual de resfriados pasa de tres por persona, en los demás países, incluso el 15 mío, la proporción no será mucho más baja y esto me alarma bastante, aunque ya sé que el resfriado en sí no es nunca cosa del otro jueves. Generalmente no produce fiebres altas, no exige grandes cuidados facultativos ni requiere el uso de medicamentos

costosos y, por eso, hasta el descubrimiento de la penicilina, se le ha considerado siempre algo así como lo que pudiéramos llamar la pulmonía del pobre. Entonces las pulmonías auténticas le salían por un dineral a cada paciente, y aunque la clase médica solía darle al público toda clase de facilidades para pagarlas a plazos, lo mejor, cuando no se disponía de una cierta holgura económica, era, indudablemente, el írselas arreglando con el modesto catarro nasal o constipado de cabeza y dejar la pulmonía como un lujo al que sólo tenían verdadero derecho las clases acaudaladas.

Fué la penicilina, precedida de las sulfamidas, quien vino a trastornar todo este orden de cosas. Gracias a ella, en efecto, parece que se pueden cortar en menos de cuarenta y ocho horas aun las pulmonías más violentas, y dentro de poco la terrible dolencia habrá perdido toda su categoría social, mientras el resfriado, en cambio, habrá ganado numerosos puntos.

Sí, señores. La ciencia hará desaparecer poco a poco todas las grandes enfermedades que hoy afligen a la Humanidad, y entonces, el más insignificante estornudo llenará de pavor nuestros espíritus, porque no cabe duda, a pesar de unos adelantos científicos que nos envanecen tanto, todos hemos de morirnos algún día, y cuando no nos podamos morir del tifus, de la viruela, de la tuberculosis, de la pulmonía, ni del cáncer, tendrá que ser, forzosamente el resfriado quien se encargue de llevarnos al otro mundo.

Mientras tanto, y aunque el resfriado no haya llegado aún, ni mucho menos, a desarrollar sus posibilidades, quizá no exista ninguna otra afección o dolencia que, en el orden colectivo, le ocasione hoy a la Humanidad mayores trastornos. Por culpa suya, y según cálculos del Gallup Institute, de cincuenta y nueve a sesenta millones de días de trabajo y — lo que también tiene su importancia —, yo supongo que se perderán, asimismo, bastantes días de diversión y de jolgorio, pero los médicos no hacen gran caso. Para ellos el catarro nasal tiene muy poca categoría, y, desgraciadamente, para el catarro nasal, ellos tampoco parece que tengan mucha.

El seguro de las camisetas

En una escena de la película *It Happened one Night* (*Sucedió una noche*), Clark Gable se quita la camisa y, como no lleva camiseta de ninguna clase, aparece ante el espectador con el torso completamente desnudo. *Sucedió una noche* se estrenó en el año 1934, y a partir de entonces la venta de camisetas descendió un 40 por 100 en todos los Estados Unidos (no hay datos de otros países). Muchos fabricantes dieron en quiebra. Otros, totalmente arruinados, tuvieron que cerrar, y una infinidad de obreros se quedaron sin trabajo de la noche a la mañana. Y como en el mundo moderno todo está estrechamente relacionado, resultó que, a consecuencia del paro provocado por Clark Gable, se produjo una sensible disminución en la afluencia de público a los cines, con lo que, víctimas de su culpa, los empresarios de la película *Sucedió una noche* no le sacaron a ésta ni dos terceras partes de los beneficios que habían calculado sacarle.

Éstos son los hechos, y lo que yo no comprendo es cómo unos industriales que habitualmente se aseguran contra todo lo humano y lo divino — contra el robo, contra el incendio, contra la guerra y hasta contra la paz, tan perjudicial para muchos

negocios —, no se aseguran también contra las *vedettes* cinemato-
gráficas que pueden, con solo un gesto, llevarlos a la ruina.
Supongo que cualquier compañía se haría muy gustosa cargo de
un seguro semejante, y en todo caso ahí está el famoso *Lloyd's*
de Londres, donde lo mismo le aseguran a usted contra una subida   5
en el precio de sus cigarillos habituales que contra una fiebre
infecciosa, contra la lluvia que contra la sequía; contra el riesgo,
siempre posible, de que su hogar de usted se vea repentinamente
aumentado con unos quintillizos que contra la pérdida de
su clientela profesional, la revolución comunista o la calvicie   10
prematura. Manos de pianistas, puños de boxeadores, voces
de cantantes, piernas de bailarinas: de todo esto y de muchísimo más hay fichas en el Lloyd's. El primer barco de vapor
que salió a recorrer los mares con un cargamento comercial fué
asegurado en el Lloyd's. En el Lloyd's se aseguró también la   15
vida de Napoleón en 1813, así como la de los caballos pensantes
de Elberfeld en 1914, y entre Napoleón y los caballos de Elberfeld
ya pueden ustedes meter perros amaestrados, ratas sabias, gallos
de pelea, elefantes calculadores, osos danzarines, focas musicales,
canguros pugilistas y demás fauna circense. Por asegurar, en   20
el Lloyd's hasta se aseguran los seguros de las otras compañías
aseguradoras que hay en el mundo — en realidad, el Lloyd's no
creo que sea una compañía propiamente dicha, sino, más bien, una
asociación de compañías — y dicho se está que el seguro de las
camisetas entraría de lleno en el orden de sus operaciones   25
habituales.

Este seguro, por otra parte, no vendría a ser, después de todo,
más que una apuesta entre el asegurado y el asegurador, que es,
en resumidas cuentas, lo que vienen a ser todos los seguros. Yo,
por ejemplo, fabricante de camisetas, me apuesto mil dólares   30
anuales contra medio millón de una sola vez a que bien Clark
Gable o bien algún otro astro del cine con iguales poderes de sugestión sobre el público me van el mejor día a estropear el negocio
poniendo fuera de moda mi mercancía con un ademán o con un
gesto, y usted, asegurador, acepta los términos de mi apuesta.   35
¿Que Clark Gable hace el gesto y me desacredita, en efecto, la

mercancía? Pues yo he acertado y usted tiene que entregarme
medio millón. ¿Que no lo hace y no me la desacredita? Pues gana
usted y yo tengo que seguir abonándole mil dólares cada año.

    Aunque en vez de plantear la apuesta con relación a los
5 astros de cine quizá fuese más justo y más exacto plantearla con
relación al público, en cuyo caso usted, asegurador, apostaría a
que, a pesar de que Clark Gable o quien fuese apareciera un día
sin camiseta en la pantalla, la Humanidad no iba a ser tan insensata
que le siguiera sin más ni más por el camino del sincamisetismo
10 tirando al cajón de la basura, con notoria ingratitud y de una
vez para siempre, una prenda que había usado durante toda la
vida, y exponiéndose además a pillar un resfriado, mientras yo,
fabricante, apostaría que sí, a que la Humanidad es tan insensata
como todo eso y muchísimo más todavía.

15   Y vean ustedes de que modo tan sencillo me ganaría medio
millón de dólares...

Un experimento en sombreros

Un día, una muchacha que estaba en su hotel de Los Ángeles tratándose con hielo una horrible jaqueca, fué obligada a bajar precipitadamente al comedor, y, en su distracción, bajó tal y como se encontraba. Sólo al cabo de un gran rato se dió cuenta de que llevaba en la cabeza su bolsa de hielo y, entonces, no pudo 5 reprimir un grito.

— ¿Qué te pasa? — le preguntaron alarmados sus compañeros de mesa.

— ¿Cómo que qué me pasa? Me veis haciendo el ridículo con una bolsa de hielo en la cabeza y ni siquiera me 10 avisáis.

— ¡Ah! Pero ¿eso es una bolsa de hielo? — repuso uno de los presentes —. ¡Qué quieres, chica! Desde que los sombreros de mujer parecen bolsas de hielo, no es extraño que las bolsas de hielo le parezcan a uno sombreros de mujer. 15

Marion McKenzie, que así se llamaba la muchacha, refunfuñó un poco, pero no tardó en recobrar su ecuanimidad. Se le había ocurrido hacer un experimento bastante curioso, y al día siguiente salió a la calle tocada con una reproducción en cartón

piedra de la torre inclinada de Pisa, que, de vuelta de un viaje por Italia, le había regalado un amigo.

« Vamos a ver — se dijo — si tampoco ahora las gentes se llaman a engaño, y si también toman esto por un verdadero sombrero. Lo más probable es que me corran... » 5

Pero no la corrió nadie, ni nadie manifestó la menor sorpresa al verla, y la torre de Pisa fué aceptada buenamente por todo el mundo como un sombrero más.

« No habrá más remedio que forzar un tanto las cosas, » pensó entonces Marion McKenzie. 10

Y al otro día, ¿qué creerán ustedes que se puso en la cabeza? Pues se puso una ratonera de alambre, con la que sufrió un nuevo y rotundo fracaso, y aunque bien es verdad que la ratonera no llevaba dentro ningún ratón — única circunstancia que puede explicar un poco la indiferencia del público —, el desconcierto de 15 la chica no tuvo límites.

No se desanimó, sin embargo, por eso Marion McKenzie, y, visto el fracaso de su ratonera, todavía ensayó en los días sucesivos una pecera, un vendaje quirúrgico, un cuervo desecado, un canasto de recoger papeles y un manojo de rábanos rodeado de escarola. 20 El manojo de rábanos fué su última tentativa para *épater le bourgeois*, y cuando vió que el público tampoco se dejaba impresionar por ellos, llegó a la conclusión de que no hay sombreros femeninos propiamente dichos y de que una mujer elegante puede utilizar a modo de sombrero todos los objetos que 25 encuentre a mano. En realidad, los sombreros femeninos no se definen como tales más que por el hecho de que las mujeres los llevan en la cabeza, y el error general consiste en comprarlos en las tiendas de modas, cuando casi siempre podrían ser adquiridos a un precio mucho más bajo en las papelerías, en las ferre- 30 terías, en las ebanisterías, etc.

En las sombras del cinematógrafo

Un hombre se presenta a la puerta de un cinematógrafo. Va a la taquilla y le dice a la taquillera que su mujer está en la sala acompañada de un amante.

— Quiero matarla — ruge blandiendo un pistolón.

5 Quiere matarla, pero gratis, sin tomar entrada ninguna. La taquillera se aterra y mientras el irascible marido chilla y exhibe su artillería, ella telefonea al director exponiéndole el caso. ¿Qué creerán ustedes que se le ocurre entonces al director? ¿Preparar una cámara para hacer un documental con la muerte de 10 la esposa adúltera y proyectarlo al día siguiente en el mismo lugar del suceso? No. El director interrumpe la sesión cinematográfica, hace iluminar la sala y se dirige al público en estos términos:

— A la entrada del establecimiento hay un hombre cuya mujer se encuentra aquí en compañía de su amante. Ese hombre 15 quiere matarla (*Sensación*). La aguarda en la puerta con una pistola (*Pánico*). Pero que nadie se asuste. El caballero y la señora de quienes se trata podrán salir impunemente por la puerta del fondo.

A estas palabras se abre la puerta del fondo y se apaga la

luz para ocultar el rubor de los fugitivos. Entonces, entre las tinieblas, se ven levantarse dos sombras. Detrás de éstas, se levantan otras dos y así hasta once parejas. Cuando se hace la luz, el teatro se encuentra casi vacío. Mientras tanto, el irascible marido continúa blandiendo su pistolón en la entrada. 5

A thrill a minute (un estremecimiento, un espeluzno, un escalofrío por minuto) decían los anuncios de las películas de *gangsters* en mis tiempos de Nueva York. Un escalofrío por minuto, o sean, sesenta escalofríos por hora, lo que, dada la duración de las películas y el precio de las entradas, ponía el 10 escalofrío al alcance de todas las fortunas y le hacía una gran competencia a la gripe. La docena de escalofríos, en efecto, venía a resultar en unos cinco centavos, y en una ciudad tan aficionada a las emociones como Nueva York haría falta, realmente, estar en la mayor miseria para no dejarse escalofriar por una suma tan 15 módica. Se puede afirmar, por tanto, que en Nueva York todo el mundo frecuentaba el cine, excepto los millonarios, quienes, como es natural, tenían a su disposición procedimientos escalofriantes de mucha más envergadura y preferían arruinarse unos a otros en la Bolsa o estrellarse a toda velocidad en coches de 20 veinte o veinticinco mil dólares. Todo el mundo frecuentaba el cine en busca de emociones, y aunque las películas de *gangsters* no emocionan ya a nadie, el suceso que acabamos de referir demuestra bien a las claras que el cine, con sus sombras propicias a todas las pasiones furtivas, sigue siendo todavía algo así como 25 la Meca del escalofrío.

En la época de los cuestionarios

« ¿Está usted contento con su empleo? — le preguntaba al lector el *American Magazine* correspondiente a marzo del presente año —. Pues conteste usted lealmente al cuestionario que sigue, y si la mayoría de sus respuestas son negativas, es que su empleo
5 llena todas sus aspiraciones. Si, por el contrario, son afirmativas, deberá usted ir tratando de buscarse un nuevo acomodo. »

Y a continuación venía el cuestionario:

Primera pregunta. ¿Se siente usted deprimido cuando alguno de sus amigos consigue una buena colocación?

10 *Segunda.* ¿Se le hace a usted muy largo por las mañanas el camino de su oficina?

Tercera. ¿Le agrada hablar de su trabajo?

Cuarta. ¿Durante las horas de oficina, está usted constante-mente mirando el reloj y calculando el tiempo que le falta para
15 salir a la calle?

Etcétera, etc., etc.

Así, con este procedimiento metódico y sistemático es como millares y millares de personas averiguan hoy en América si están contentas con sus empleos y así es también como averiguan otras

si les gusta el arroz con leche, si son aficionadas a las novelas policíacas o si las divierte bailar el *buguibugui*. ¿Qué les parece a ustedes?

Yo, de verdad, no encuentro el procedimiento malo del todo y hasta reconozco que puede ser relativamente útil siempre que con él pretendamos averiguar cosas ajenas a nosotros mismos, pero cuando lo apliquemos a la averiguación de las propias, lo consideraré, por lo menos, un tanto excesivo. Si el día de mañana, por ejemplo, se pone alguien a leer en mi tertulia el relato de un crimen reciente cuyo autor no haya sido identificado todavía y noto que uno de los contertulios se azora, palidece, tartamudea y, después de mirar recelosamente a un lado y a otro, sale de estampía sin despedirse de nadie, yo puedo suponer que el contertulio en cuestión es el criminal, pero me imagino que él no necesitará ninguno de estos indicios para averiguar si lo es o no. Y de igual manera si yo estoy contento con mi empleo, de sobra sabré que no estoy quejoso, y en el supuesto, puramente dialéctico, de que no lo sepa, entonces habrá que dejarme como un caso perdido porque mucho menos aún sabré si se me hace largo o corto por las mañanas el camino de la oficina, si me siento deprimido cuando alguno de mis amigos consigue una buena colocación o si me resulta desagradable el hablar de mi trabajo.

¡Época absurda, pretenciosa y ridícula ésta de los cuestionarios, los *tests* y demás zarandajas! ¿De cuándo acá en nuestros tiempos — y perdóneme el lector este plural que meto aquí un poco a traición — se le hubiese ocurrido a nadie echar mano del psicoanálisis para averiguar si un empleo de doscientos dólares por semana le gustaría más que uno de cien?

Por lo demás, claro está, no creo que el *American Magazine* nos plantee su problema más que con una intención exclusivamente teórica y especulativa, porque ya es sabido que, en el terreno de la práctica, nadie está nunca contento con el empleo que le ha tocado en suerte, por superior que éste sea a sus merecimientos, y ello ni aquí ni siquiera en esa América fabulosa, donde las gentes son pagadas en tan buena moneda.

OTROS PAÍSES Y TEMAS VARIOS

Escuelas de españolismo

El español de París es completamente distinto del español de Londres. No es que el español de París esté afrancesado ni el de Londres inglesizado. Probablemente, los españoles de París y Londres serán mucho más españoles que los españoles de Madrid.
5 En Madrid viste mucho tener un aire parisiense o londinense, mientras que en París o en Londres vale mucho tener un aire español. El español de París y el de Londres son ambos perfectamente españoles; pero cada uno cultiva el españolismo que puede tener más éxito en el medio donde vive. En París hay una
10 idea acerca de España, y en Londres hay otra. Con vivir más lejos de nosotros que los franceses y con tener una lengua mucho más distinta de la nuestra, los ingleses nos conocen mucho mejor. Los franceses no nos han conocido nunca, y las francesas tampoco. Los franceses se figuran al español como una cosa mixta
15 entre fraile y torero; como un hombre muy sombrío que fusila a todo el que se le pone por delante, y, al mismo tiempo, como un hombre muy jacarandoso, que se pasa la vida tocando las castañuelas y bailando el garrotín.

Y como uno acaba por ser lo que la gente cree que es, el

— 71 —

español de París resulta un tipo extraordinario. Aquí se aficiona uno a los toros. Aquí muchos muchachos catalanes y gallegos adquieren el acento andaluz. Aquí, en el *Tabarin*, en el *Bullier*, en el *Elisée Montmartre* y en el *Moulin de la Galette*, aprende uno
5 a bailar flamenco. Aquí se han puesto muchos españoles la primera capa y el primer sombrero cordobés.

El español de Londres habla de Bilbao, de Barcelona, de Valencia. El español de París habla de Sevilla, de Málaga, de Granada. El de Londres habla del Rey. El de París habla de Ferrer.
10 El de Londres estudia estadísticas. El de París torea los automóviles en pleno bulevar... Que no me hablen a mí de europeización. El español se europeiza en España y se españoliza en el extranjero. Su españolismo es distinto según se desarrolle en Londres o en París; pero no su europeísmo.

15 En España, ustedes tienen también una idea distinta acerca del español que ha venido a París y acerca del que se ha ido a Londres. Al que está en París se lo figuran ustedes en una juerga continua con mujeres pintadas, música y champaña. Es la idea que ustedes tienen de París. De Londres tienen ustedes una idea
20 de sastrería: gabanes muy gordos, chaquetas amplias, impermeables magníficos... Así, al español de Londres se lo figuran ustedes vestido como un rey.

El español de Londres es serio, y cuando viene a París siente una gran indignación contra la vida parisiense. El de París no
25 puede pasar más de dos días en Londres. Parece que el español de Londres está muy acostumbrado a Londres, y que el de París se encuentra muy bien en París. Nada de eso. Como ambos son españoles, ambos se pasan la vida protestando: el de París contra Francia, y el de Londres contra Inglaterra. Mientras tanto,
30 ustedes, los españoles que no han abandonado España, protestan contra ella.

Sobre la cama

De Londres a París el viaje es corto, y, sin embargo, ¡qué bien descansa el viajero en una de estas camas francesas, tan muelles, tan hondas, tan amplias! Porque las camas inglesas son duras y chicas. En el salón de un hotel o en un *boarding house* inglés, uno hace amistad con Mr. Tal o Mr. Cual, uno de esos 5 hombres muy grandes que hay en Inglaterra. Días después, uno sube a su cuarto y ve allí una camita que parece de juguete. Pues en aquella camita tan pequeña duerme aquel inglés tan grande.

Se ve que en Inglaterra la gente se acuesta por necesidad. Un inglés está en la cama el tiempo estrictamente necesario para 10 dormir. El inglés se acuesta y se duerme, se despierta y se levanta. Así, aun en las mejores casas inglesas, las alcobas son pobres y chicas. « ¿Para qué voy a arreglar mi habitación de una manera muy bonita — se dice el inglés —, si en cuanto llegue allí me voy a quedar dormido?» En una casa inglesa, la alcoba es la habitación 15 menos importante. En una casa francesa, lo principal es la alcoba.

Las camas francesas son verdaderamente admirables, sobre todo para los españoles. Un español se encuentra tan bien en una de estas camas francesas, que, por su gusto, no la abandonaría

nunca. Pero en España no conviene hacer el elogio de las camas francesas, sino más bien el de las inglesas. A nosotros nos convienen unas camas muy incómodas, donde no se pueda permanecer más que estando profundamente dormido. Las camas francesas, como la moral francesa, nos perjudican mucho. Nosotros necesitamos unas camas y una moral muy duras y muy desagradables. Necesitamos madrugar y trabajar.

Si las camas inglesas fuesen camas francesas, Inglaterra no sería lo que es. Para juzgar a un pueblo hay que ver su comedor y su alcoba antes que su palacio parlamentario. Ya hablaremos del comedor inglés. Por lo que respecta a la alcoba inglesa, de ella se deriva la mitad, por lo menos, de la energía británica. Viendo una alcoba inglesa, se comprende que Inglaterra sea un pueblo activo, que no duerme más que el tiempo necesario para recobrar las fuerzas perdidas durante el día, y un pueblo práctico, que no sueña jamás. En las camas inglesas no hay edredones, ni doseles, ni apenas colchón. No sintiendo verdaderamente sueño, a ningún inglés se le ocurre meterse en la cama. Estando despierto, ninguno permanece en ella. La oficina es más cómoda que la alcoba, y el inglés prefiere irse a la oficina. En la alcoba inglesa, la luz está siempre en el lado más alejado de la cama, de tal modo, que desde la cama es completamente imposible leer. Esto libra a Inglaterra de toda esa literatura de alcoba que tanto daño ha hecho en Francia y en España. En fin el inglés se va a la oficina y trabaja; se va a la cama y duerme, y cuando el inglés duerme, como cuando trabaja, lo hace íntegramente, de un modo eficaz, rotundo, definitivo. Nosotros consultamos nuestros asuntos con la almohada, dormimos en la oficina y nunca estamos ni completamente despiertos ni completamente dormidos.

A mí me encantan la blandura, la elasticidad, la amplitud y el calorcito de las camas francesas; pero yo les recomiendo a ustedes las camas inglesas. Si todos los españoles nos dedicáramos a dormir en camas inglesas, España podría salvarse. Al principio nos dolerían los huesos, y amaneceríamos *courbaturés*; pero esto es lo mismo que ocurre con la gimnasia; pronto nos acostumbraríamos, y luego nos haríamos un poco más enérgicos y más fuertes.

El doctor Faltz

Las otras partes del mundo tienen los monos.
Europa tiene los franceses.

Schopenhauer

El doctor Faltz, con quien he entablado relaciones por medio de un anuncio de periódico, tiene la costumbre de leer mis artículos, en los que aspira a perfeccionar su español. El otro día, yo hablaba de los osos alemanes, y el doctor Faltz vino a
5 verme, ligeramente enfadado.

— ¿Conque usted se creía que todos nosotros éramos osos?

— Sí, señor.

— Pero ¿ya no lo cree usted?

— Desde luego, actualmente no son ustedes el oso *mal*
10 *léché* de la tradición; pero todavía tienen ustedes muchas cosas de oso. Tienen ustedes la pesadez, la lentitud, la gravedad, la fuerza y una gran afición a la danza.

— Es posible. En cambio, esos franceses son ágiles, ligeros y espirituales. No comprenden la música trascendental ni la
15 filosofía. Me explico que, viniendo de Francia, le parezcamos a usted osos.

— Los franceses son unos monos, querido doctor, como ha dicho muy bien aquel oso tan sabio que se llamaba Schopenhauer: « Las otras partes del mundo tienen los monos, y Europa tiene los franceses.» El oso alemán y la ternera inglesa miran al mono
5 francés con cierto desprecio, considerándolo un payaso del reino animal; pero de cuando en cuando no tienen más remedio que reírse con él. Verdaderamente, esos franceses tienen *esprit*. ¡Hay que ver con qué facilidad se suben a los árboles en el bulevar de los Italianos y cómo saltan de rama en rama! Son un poco puercos,
10 y a veces se propasan delante del público. Entonces el ganado bovino de Inglaterra muge escandalizado, y los osos alemanes regresan a Alemania, a danzar seriamente; pero más pronto o más tarde, la mayoría vuelve a París, provista de una tolerancia pasajera, para ver nuevamente a aquellos monos tan divertidos
15 y a aquellas francesas tan monas. Sí, *mein Herr*, los franceses son unos monos. ¡Qué ligereza, qué gracia, qué agilidad, las del espíritu francés! ¡Qué cosas tan distintas, todas éstas de la pesadez y de la profundidad alemanas, así como de la rigidez y de la simplicidad inglesas! Y luego, ¡qué facilidad portentosa de imi-
20 tación la de esos monos franceses! ¡Cómo lo imitan, cómo lo reproducen todo! Ustedes han sido capaces de inventar la pól-vora y la imprenta, pero no pueden ustedes imitar nada. Los franceses lo imitan todo: hasta la gravedad alemana. A veces se calan unas gafas y se ponen a escribir de filosofía, lo mismo
25 que los osos, y producen un efecto muy divertido. Y también hay osos alemanes que quieren tener *esprit*, y ser ligeros, y dar saltos, y subirse a los árboles del Unter den Linden, y hacer monerías, y no pueden. Ustedes son los osos de Europa, querido doctor.
30 — ¿Y ustedes? — me pregunta el doctor.

— ¿Nosotros?

— Sí, ustedes los españoles.

— Nosotros somos toros de lidia. El espectáculo que le damos al mundo no es divertido ni filosófico, pero tiene una gran
35 emoción. Se nos torea. Se nos engaña con un trapo rojo. De tanto embestir al aire o contra la barrera, vamos perdiendo acome-

tividad; a veces, nos ponen unas banderillas de fuego, y el dolor nos irrita y nos da nuevas fuerzas. A todo esto, el cielo es azul; el sol, brillante; las mujeres, hermosas. Ya han salido los caballos. Ya han tocado a banderillas y aguardamos la última suerte.

5

En la casa de *Frau* Grube

¿Cómo caí yo en casa de Frau Grube? No lo sé. Yo llegué a
Berlín tal como hoy, sin conocer a nadie, y al día siguiente estaba
instalado en el número 17 de la Bozener Strasse. Parece que es el
sino de todos los españoles que vienen a Berlín. Frau Grube los
5 acoge con una sonrisa casi maternal y les presenta por anticipado
el recibo de un mes. Luego les larga siete palabras españolas que
ha aprendido de los huéspedes anteriores:

— Pan, cerveza, manteca, tonto, comprendo, mañana,
mucho...

10 En el comedor de la pensión Grube está expuesto aún el
retrato de Julián Besteiro, actualmente catedrático de la Universidad de Madrid. Besteiro ha vivido aquí dos años, y no se puede
negar que se encuentra robusto. Alma, la criada de la casa, cuando
viene a traerme el desayuno, suele decirme:

15 — Herr profesor Besteiro no era tan malo como usted.

Araquistain, también antiguo pensionista de Frau Grube,
acaba de enviarle una postal desde Múnich, diciéndole que le
reserve habitación. La mayoría de los pensionados españoles en
Alemania han comido aquí las primeras salchichas y han aprendido

a pronunciar sus primeras palabras en alemán. Se puede decir que Frau Grube está amamantando a toda la joven España. Cuando la generación que actualmente se prepara en Alemania nos haya regenerado, nuestros hijos vendrán en peregrina-
5 ción a Berlín, y si Frau Grube vive todavía, le besarán las manos bienhechoras y un poco deformadas por el trabajo de la cocina. Frau Grube es, como si dijéramos, la madre de la España futura. La España futura duerme en estas camas, que Alma debiera mullir un poco mejor. Aquí, en este comedor, ornado
10 con los retratos de los huéspedes que han sido más puntuales en el pago, la España de mañana ha digerido por primera vez el *deutsches beefsteak* y la filosofía de Kant. Acaso alguna vez no los haya digerido; pero eso puede ser lo mismo culpa de la cocina que del estómago. En fin, la pensión Grube no debe pasar
15 inadvertida al presidente del Consejo, al Ateneo de Madrid ni a la Junta de Pensiones. Su influencia en los destinos de España es indudable, y ya se comienza a sentir. Todas las palabras alemanas que ven ustedes en los periódicos, proceden de la pensión Grube, y las ideas alemanas que desde hace algunos
20 años a esta parte circulan por Madrid, es también de aquí de donde han salido.

¡Dios bendiga a Frau Grube y, al mismo tiempo, que la libre de huéspedes insolventes! Si España llega un día a ser una gran nación, Frau Grube podrá decir que buen trabajo le ha
25 costado. Esta mujer, desde su cocina, hace más por la regenera-ción de España que todos esos charlatanes que vociferan por ahí en los mítines y que ponen artículos en los periódicos. Por mi parte, yo no creo en Lerroux, en Azcárate ni en Pablo Iglesias como regeneradores: sólo creo en Frau Grube. Ella es, a mis
30 ojos, y debe serlo también a los de ustedes, la única esperanza de España.

El bulevar

Se dice « el bulevar » y « las mujeres del bulevar » y « la moral del bulevar, » por decir « París, » « las mujeres de París, » « la moral de París. » Yo llegué a París por primera vez hace unos tres años y empecé a ver bulevares; el bulevar de Capuchinos, el bulevar de los Italianos, el bulevar Montmartre, el bulevar de 5 la Buena Nueva o de la Buena Noticia.

— ¿Cuál de estos bulevares será el bulevar? — me decía yo —. ¿Es que en cualquiera de ellos podré encontrar las bellezas del bulevar, las elegancias del bulevar, los *restaurants* del bulevar, la filosofía del bulevar? 10

Y en estas dudas, yo me indignaba contra los que hablan del bulevar sin poner el nombre. Indignado como estaba, hubiese llegado hasta a exigirles el número.

Hoy ya sé a que atenerme respecto del bulevar. Todos los bulevares son bulevar, y muchas calles que no llevan el nombre 15 de bulevar son bulevar también. Se habla, por ejemplo, de las modas del bulevar como se habla de los trajes de calle, sin decir « calle de tal, número tantos. » El bulevar es París, porque todo París vive en el bulevar. Los cafés del bulevar no son más que

una justificación de las terrazas del bulevar. Los *restaurants*, lo mismo. Las tiendas del bulevar son una consecuencia de los escaparates del bulevar. Todo es bulevar en París, y para ser un perfecto *bulevardier*, lo de menos es tener un domicilio sobre este bulevar o sobre aquél. Un hombre puede habitar en la *rue* 5 Lefèvre y ser más *bulevardier* que otro que habite sobre el mismo bulevar de los Italianos, porque el bulevar es el bulevar y no las cosas del bulevar, y porque en París no se vive en la casa, sino en la calle.

La verdadera vida de París transcurre sobre el bulevar, así 10 como la vida inglesa se desarrolla en la casa. Los ingleses viven en casa, los españoles vivimos en el café, los franceses viven en la terraza del café. En Londres las calles son feas y están expeditas, mientras que los bulevares de París son bonitos y están llenos de obstáculos. La calle inglesa le lleva a uno rápida- 15 mente a casa. El bulevar de París le hace a uno llegar siempre tarde. La moral inglesa es una moral casera. La moral de París es callejera. ¿Cuál de las dos morales vale más? A mí me hace usted dar dos vueltas por Leicester Square y yo en seguida le digo a usted: 20

— Me aburre esto de andar por la calle. En ninguna parte estaremos mejor que en casa.

En cambio, si me quiere usted invitar a ir a su casa en París y tenemos que atravesar los grandes bulevares, ya puede usted estar seguro de que no llegaremos en tres horas. 25

Yo no sé qué tienen estos bulevares de París. Yo sería capaz de venir expresamente desde Londres a sentarme en una terraza y tomarme un aperitivo. Vería pasar franceses, lo que es un espectáculo muy divertido, y francesas, lo que es un espectá- culo muy agradable. Oiría un poco de música. Le compraría 30 *La Presse* a un *camelot* y no la leería. Hablaría un rato con el parroquiano de al lado. Me dejaría poner una flor en el ojal. Dos minutos después me la dejaría quitar... Me pasaría una hora en el bulevar y no volvería a Londres, porque miraría el reloj y pensaría que todavía era temprano y me quedaría un ratito más, y otro 35 ratito más, y perdería el tren.

El bulevar es París. Se puede decir « la moral del bulevar »
y « la filosofía del bulevar. » París no tiene otra moral ni otra
filosofía. Es un pueblo-bulevar, sin nada dentro. Sus virtudes
y sus defectos están en el bulevar. Su música, su pintura, su
5 literatura, todo es de bulevar. Alegre, ligero, vistoso, agradable
y efímero. En las artes que son exclusivamente de bulevar — en
los trajes para mujeres, en la confección de escaparates, en la
instalación de terrazas y en el servicio de aperitivos — es donde
triunfa el genio francés.

Cuando se acabe el carbón

Dentro de tres mil seiscientos setenta y cinco años un hombre se dirigirá a los otros con estas palabras terribles:

— Señores, se acabó el carbón.

Y el auditorio, entonces, se quedará helado.

Los sabios, en efecto, anuncian que el carbón va a acabarse 5 dentro de tres mil seiscientos setenta y cinco años. En estos últimos meses todos los periódicos de Londres publicaron artículos acerca del asunto. La cosa no era para menos.

Pero ahora resulta que los sabios han cometido un pequeño error de fecha. El carbón no se acabará dentro de tres mil seiscien- 10 tos setenta y cinco años, sino dentro de unos cuarenta días. Lo dicen los carboneros, que en esto del carbón saben mucho más que todos los matemáticos del mundo. Los carboneros ingleses van a declararse en huelga y van a anticipar en cerca de treinta y siete siglos la declaración aterradora: 15

— ¡Se acabó el carbón!

— Estamos trabajando como unos esclavos — dicen los carboneros —, y esto no puede seguir así.

Ante la amenaza, todo Londres se ha estremecido, mitad de

frío y mitad de terror. Londres es una máquina, una grande, una enorme, una formidable máquina devoradora de carbón. El día que no haya carbón para alimentarla, la máquina dejará de funcionar. Toda la actividad, toda la energía inglesas son producto del carbón. Si los ingleses se mueven como las personas, es porque el carbón los pone en marcha. El poco calor que tiene la vida inglesa es exclusivamente calor de carbón. Todo el calor de Inglaterra sale del carbón, así el calor industrial como el calor sentimental.

Con la chimenea apagada, no hay ternura ninguna en el hogar inglés. En Londres se calcula que hay siete millones y medio de chimeneas — una por habitante —, y cuando una de estas chimeneas no echa humo, si se mira por ella, se verá en una habitación un inglés muerto, o por lo menos, dormido. Mientras el inglés está en actividad, su chimenea echa humo, y si el humo es muy negro y muy espeso, es que los *business* del inglés son de una gran importancia.

En ningún país sería tan importante como en Londres una huelga de carboneros. Si los carboneros logran sostenerse en huelga hasta que se agoten todas las reservas de carbón existentes en Londres, Londres se paralizará de pronto, en un solo minuto, como una gigantesca máquina de reloj.

Hasta que el conflicto se solucione, y que unos trenes muy grandes depositen en las estaciones de Londres toneladas y toneladas de carbón. Este nuevo carbón encendido, cada inglés volverá a ponerse en movimiento, y la enorme máquina volverá a funcionar como antes, muy negra por el día, muy roja por la noche, como las ciudades imaginarias de que hablaba el poeta.

El pudding de las navidades

En todas las casas de Londres, unas muchachas muy rubias están a estas horas abriendo pasas con un cuchillo y echando fuera las pepitas. De vez en cuando, se comen una de las pasas.

— Este año va a salir bueno el *Christmas pudding* — dicen.

— A mí me gusta mucho.

— A mí lo que me gusta es la presentación cuando se apagan las luces y aparece el pudding lleno de llamas. Es *exciting*. *Very exciting*.

— Yo me pongo muy nerviosa. El año pasado no pude contenerme y empecé a dar gritos.

Según un *magazine*, Londres hará estas Navidades diez millones de libras de pudding. Los ingleses son muy aficionados a estos cálculos, en los que ejercitan su ingenio. ¡Diez millones de libras de pudding que serán devoradas a las llamas fantásticas del *brandy*!

La introducción del pudding en el comedor, que en todas las casas de algún tono es hecha por un criado de librea, tiene algo de opereta de magia y constituye la nota más alegre de la Nochebuena inglesa.

La Nochebuena es, en realidad, la única fiesta de Inglaterra. Yo la llamaría la fiesta nacional inglesa. Es una fiesta conservadora y familiar; una fiesta para las personas de orden, que tienen una chimenea bien caliente en una casa muy confortable, y unos cuantos hijos muy bien calzados alrededor de una mesa, en la que no falta nada. Es la fiesta del egoísmo inglés. Todo el mundo permanece *at home*, mientras la lluvia enloda las calles. En Soho y Charlotte Street, los barrios de la miseria cosmopolita, algunos bares abren sus puertas mercenarias para consuelo de los náufragos de la gran ciudad. No falta en esos bares quien pida *whisky* con un acento muy español. La Nochebuena no ha sido nunca bien comprendida por los españoles. Somos demasiado individualistas y nada conservadores. Somos hombres de calle y no de casa. Nos falta este espíritu bíblico y familiar de los ingleses. Yo me siento horrorizado ante las fiestas del *Christmas*, así como se horrorizan los ingleses en nuestras corridas de toros. Toda esta ternura, todo este sentimiento, todo este pudding, todos estos sentimientos y todos estos manjares, tan calientes y tan dulces, me parecen de un egoísmo espantoso.

La calvicie alemana

« El setenta y cinco por ciento de los alemanes de treinta años — dice una estadística — son calvos. » Muchos parece que nacen ya calvos y con gafas. En otros, el pelo vive *ce que vivent les roses...*

5   Hay calvas tersas, limpias, relucientas como cascos bruñidos; hay quien dice que sus propietarios dejan las cabezas por la noche en el pasillo, junto con las botas, para que la servidumbre se las pula al amanecer. Otras calvas son abruptas y montañosas; están llenas de promontorios y de hendiduras. Otras son calvas
10 sensibles, que se ruborizan y enrojecen. A través de algunas calvas alemanas, uno ve los sesos en ebullición; ve uno el griego y el latín, la historia y la filosofía.

Lo peor es que no hay procedimiento, no hay loción, no hay masaje que haga brotar el pelo en estas calvas enormes. ¿Por
15 qué no pintarlas al temple o al fresco, con arreglo a las nuevas escuelas decorativas? También podrían utilizarse como mapamundis, aprovechando las prominencias del cráneo para pintar montañas y tomando las venas como ríos. Esto sería agradable e instructivo y contribuiría al desarrollo de las ciencias geográficas.

En caso de guerra, algunos podrían alquilar sus cabezas en las tertulias de café para que se pusieran en ellas banderitas a fin de seguir el curso de las operaciones.

No hay país que ofrezca una extensión mayor de superficie craneana baldía que Alemania. Esta superficie debe de alcanzar hectáreas y hectáreas. Se han buscado todos los medios para fertilizarla, pero ninguno ha dado resultados positivos. Una cabeza alemana es algo así como la Mancha: árido, seco, sombrío, desolado.

Naturalmente, que esta visión es completamente exterior. Ya hablaremos alguna vez de las cabezas alemanas por dentro.

La levita del *Herr Direktor*

En el café adonde tengo costumbre de ir hay una levita que forma parte del mobiliario. Es la levita del *Herr Direktor*. Cuando el Herr Direktor sale de paseo, el portero se introduce respetuosamente dentro de la levita, y asciende de categoría. Es un *Herr Direktor* a su vez, y como aquí los títulos se extienden a toda la 5 familia, su mujer y su hija son, durante algunas horas, *Frau Direktor* y *Fräulein Direktor*. Parece como si ellas se hubieran metido también dentro de la augusta levita directorial. ¡Levita venerable y magnánima! Los directores pasan por ella y ella permanece. Unos son demasiado gordos, como el actual director 10 efectivo, y no pueden abrocharla; otros, como el portero que se la ha puesto ayer, son excesivamente flacos para ella, y dan la impresión de que van a ahogarse en la levita como en un mar de gloria. Pero no juzguemos superficialmente. El que una levita no le siente bien a un hombre no quiere decir nada en contra de ella. 15 Son los hombres los imperfectos y los que están mal cortados.

Aquí, en Alemania, no se cortan las levitas para los hombres, sino los hombres para las levitas.

— Ya ve usted — me decía ayer el portero de mi café

habitual —. Si yo tuviera un cuerpo a propósito para la levita, ascendería en seguida a director efectivo. Desgraciadamente, estoy demasiado flaco, y tendré que esperar un año, por lo menos, a ver si engordo.

Porque la levita no es elástica. Tiene toda la rigidez del cargo que representa. Se puede manchar y puede palidecer, pero no estira ni encoge. Hay que ganarla, que adquirir el volumen necesario para llevarla con cierta dignidad. El título de *Herr Direktor* del café adonde tengo costumbre de ir, no se le atribuye, en realidad, a hombre alguno, sino que es el título de la levita. Al meterse en la levita un portero cualquiera, es como si se metiera dentro del título. Los parroquianos no le llaman Director a él, sino a la levita. El parroquiano necesita a veces hablar con la levita del establecimiento, y el Director, efectivo o accidental, no es nunca más que el cuerpo de la levita. Él le presta a la levita sus piernas para que la levita pueda ir de mesa en mesa; su voz, para que la levita hable, y su sonrisa, para que la levita se congracie con el parroquiano: una sonrisa superior, por lo demás, como debe ser la sonrisa de toda levita alemana.

¡Ah, la levita! Ustedes no saben la importancia que tiene una levita en Alemania. Los hombres la llevan con un respeto, con una unción, con una humildad!... A veces parece como si le dijeran a uno:

— Yo soy un imbécil, ya lo sé; pero ¡respete usted esta levita, a la cual me pertenezco! Lo que no haga usted por mí, hágalo por la levita.

Maneras de ser español

Un señor de sombrero cordobés y de americana torera.

El gerente me pidió permiso para instalarlo en mi mesa, y yo comencé a hablar con él.

— ¿Es usted español? — le pregunté.

5 — No señor. Yo soy danés.

— Pues el gerente me ha dicho que es usted español.

— Verá usted — exclamó el hombre después de una pausa —. Yo creo que eso de ser español, más que una cuestión de nacionalidad, es una cuestión de temperamento. A lo menos en 10 estas latitudes, de Suiza hacia el Norte, se es español como se es sanguíneo, o linfático, o bilioso. Cuando una mujer dice que un hombre tiene un tipo muy español está muy lejos de pensar que ese hombre haya nacido en España. Ese hombre tiene un tipo muy español equivale a decir:

15 — Ese hombre debe de ser apasionado, violento y celoso.

Claro que lo probable es que el temperamento español abunde en España más que en ningún otro sitio; pero eso no significa el que todos los españoles tengan un temperamento

español. Yo he conocido en Copenhague a un español del que decían algunas mujeres:

— Pues no me ha resultado tan español como yo creía.

Y es que esas mujeres confundían el temperamento con la nacionalidad. En cambio, de mí hay quien dice que soy muy español. Se puede ser más o menos español por temperamento, mientras que por nacionalidad no hay manera de ser más o menos de España, sino que se es de España o no. Yo soy danés de nacionalidad y español de temperamento. Ahora bien: así como los patriotas quieren clasificar a los hombres por países y los socialistas por oficios, yo creo que es más lógico clasificarlos por temperamentos. Por eso yo me he clasificado como español en vez de clasificarme como danés. Yo llevo mi españolismo en la sangre, en los nervios, en el hígado. Para ser un español completo, usted cree que me falta haber nacido en España; pero yo no le doy importancia ninguna a este pequeño detalle. Por lo demás, nadie se la da tampoco, excepto ustedes los españoles de origen. Ustedes tienen todos los inconvenientes de ser españoles, y a veces no tienen ustedes ninguna de las ventajas de que goza en Europa el español. Yo tengo las ventajas sin los inconvenientes. Yo no hablo castellano, es cierto; pero hablo alemán, francés, inglés... Hablo los idiomas de los países en donde se cotiza el temperamento español...

Mi vecino de mesa continuó así durante largo rato. Yo me sentía achicado frente a él. Luego pagó su consumición y se fué de una manera torera.

El fracaso del turismo

Han fracasado los billetes circulares, los hoteles baratos y las guías. Ha fracasado el turismo. El turista es un hombre impermeable. El espíritu de los países que recorre no le penetra jamás. Es un hombre que no se entera de nada, que no se mezcla nunca a la vida de los pueblos, que no influye en ellos ni se deja influir 5 por ellos, que atraviesa las ciudades sin dejar rastro ninguno tras de sí. Un vendedor cualquiera de paños o un comisionista en drogas son infinitamente superiores al turista y hacen mucho más que él para la comprensión de los diferentes países del mundo. El turismo ha fracasado hasta literariamente. Comparen ustedes el 10 *Viaje por España*, de Gautier, compárenle a *The Bible in Spain*, de Borrow. Gautier fué a España de turista, fué a ver la España pintoresca mientras que Borrow fué a vender Biblias. Pues el libro verdaderamente pintoresco es el de Borrow. Así como Gautier buscaba los gitanos para describirlos, Borrow se encontró 15 metido entre ellos, aprendió a hablar caló, resultó luego mezclado en algunas revueltas populares, trató a los políticos de la época.

Y menos mal que en los tiempos de Gautier no existían aún los billetes circulares. Hay familias norteamericanas que se

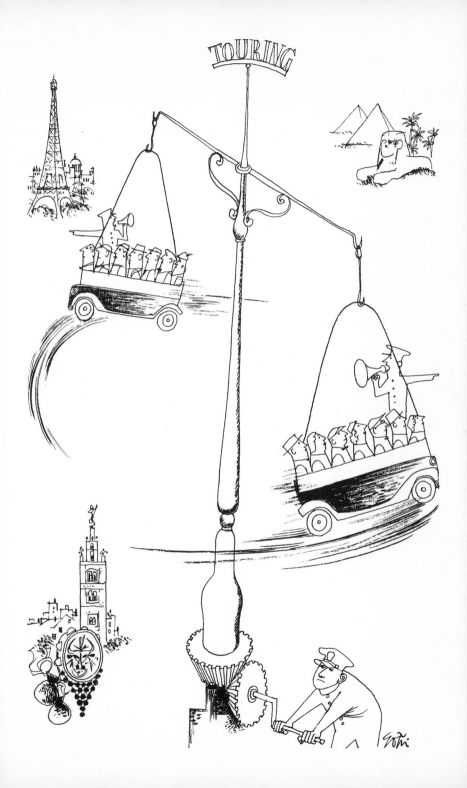

pasan quince, veinte, treinta años ahorrando dinero, y que luego, gracias a los billetes circulares, recorren toda Europa en quince días. Ven París, Suiza, El Tirol, Viena, Constantinopla, Grecia, Berlín, Italia, España, Suecia. Ven arquitectura gótica, románica, bizantina, árabe; ven pintura, ven escultura, ven cerámica, ven 5 maquinaria, ven vida nocturna, ven bellezas naturales, ven lugares históricos. Lo ven todo en quince días, y si antes del viaje tenían una visión más o menos exacta de Europa, después del viaje no tienen ya visión alguna.

Los viajes circulares no sirven para instruir a la juventud, 10 sino para embrutecer a la edad madura. El tipo de viajero moderno, es decir, el turista, ha fracasado completamente. En Inglaterra muchas gentes viajan ya en unos carros como los gitanos, que son las gentes que mejor saben viajar, con cocina, alcoba y salón. En esta forma los viajes son lentos y se ven pocas 15 cosas; pero las cosas que se ven, se ven bien.

Axioma: Adondequiera que vayas, lector, procura dejar un recuerdo agradable o desagradable: alguna novia, algunos amigos, alguna antipatía, una receta para hacer el arroz o los huevos fritos o siete duros de deuda. 20

Grandes hombres

Las provincias están llenas con estatuas de grandes hombres, sin contar las grandes mujeres, como Concepción Arenal y doña Emilia Pardo Bazán. Y ante este fenómeno, yo no puedo menos de preguntarme:

5   — ¿Hay muchas estatuas porque hay muchos grandes hombres, o hay muchos grandes hombres para que haya muchas estatuas? ¿Quién hace a quién? ¿El escultor es una consecuencia del grande hombre, o el grande hombre una consecuencia del escultor?

10   Desde luego, parece evidente que los grandes hombres, en caso de necesidad, podrían, bien que mal, arreglárselas sin escultores. En cambio, los escultores se verían bastante apurados el día en que hubiese una huelga de grandes hombres.

Un escultor amigo mío, hablándome de cómo iba el hombre 15 resolviendo su vida, me decía recientemente:

— Tengo bastante que hacer. Antes sólo había trabajo en España para media docena de escultores. Ahora trabajamos constantemente cerca de un centenar.

Yo me acordé entonces del señor Salaverría y de sus impre-

caciones contra el pesimismo. Indudablemente — me dije —,
el señor Salaverría tiene razón. Estamos en un período de gran
florecimiento. ¿Cómo puede encontrarse en decadencia un país
que produce grandes hombres bastantes para emplear diariamente
5 a cien escultores?

Pero luego me asaltó la idea de que si España dejase de
producir grandes hombres repentinamente, esos cien escultores
no iban a morirse de hambre.

— A falta de grandes hombres — pensé —, se arreglarían
10 con hombres medianos, y hasta con hombrecitos chiquitines.

Y de situar esta hipótesis en el porvenir a trasladarla al
presente no había más que un paso. No son los grandes hombres
quienes hacen a los escultores, sino los escultores quienes hacen
a los grandes hombres. Se van por las capitales de provincia y
15 trabajan el artículo.

— ¿Pero es posible? — exclaman —. ¿Cómo tienen ustedes
esta alameda así, sin un grande hombre ni nada?

— ¿Un grande hombre?

— Sí. Un grande hombre. Un hijo ilustre de la provincia.
20 Los provincianos no se acuerdan de ninguno.

— Fíjense ustedes bien. No faltará por ahí un filántropo,
un héroe, un cronista local, aunque sea un ex ministro.

Generalmente, se acaba por elegir al ex ministro, y el escultor,
que ya suele tener preparados cuerpos para ex ministros, para
25 filántropos y para generales, no hace más que preparar la cabeza
y enchufarla. En una ciudad cuyo nombre no importa, el poeta
local fué desechado porque era tuerto, y se le sustituyó con un
abogado.

— ¡Un tuerto! — decía el escultor —. Si me dieran ustedes
30 un ciego, les haría una obra magnífica; pero, ¡por Dios!, no me
den ustedes un tuerto.

— Es que es el único hombre de algún mérito que tenemos
por aquí. El único digno de una estatua.

El escultor fué irreductible:

35 — ¿Cómo va a ser digno de una estatua un tuerto? ¿Cómo
va un tuerto a tener mérito?

Los que no somos tuertos no debemos desconfiar todavía de llegar a tener nuestra estatua; pero para adquirir una personalidad algo estatuaria, debemos dejarnos crecer la barba y vestir siempre de levita.

El acento

En un viaje reciente, a bordo de un transatlántico, tuve la fortuna de coincidir con una ilustre compañía de actores españoles. Yo venía algo mareado. Mi cabeza me producía una sensación extraña, como si no fuese exactamente la mía, sino, más bien, una
5 cabeza parecida, que alguien me hubiese dado el encargo molesto de transportar hasta España. Juzgando con esta cabeza, tomé por una gran actriz a una señora que hablaba siempre de un modo muy enfático; pero ella me sacó pronto de mi error. Si hablaba así, no era por ella, sino por las niñas, dos hijas suyas, muy
10 monas, por cierto. Las niñas estaban comenzando su carrera teatral, y apenas si ponían en la compañía algo más que sus caras bonitas; pero la madre, entre bastidores, ponía el énfasis.

— ¡Probrecitas! — decía la buena señora —. Hay una que habla algo; pero la otra no dice ni una palabra.
15 Yo me compadecí de la infeliz, porque la mudez me parece una gran desgracia para una niña casadera. Afortunadamente, sólo se trataba de una mudez artística. La chica tenía una lengua bastante suelta; pero el director no se atrevía a confiarle más que papeles silenciosos.

— ¿Y por qué no la dejan hablar?

— Por el acento — me respondió la afligida madre —. Nosotras somos gallegas, y en esta compañía no se puede tener acento. ¿Se cree usted que, de no ser por el acento, vendrían mis hijas en segunda? El acento es nuestra desgracia. Afortunada- mente, la mayorcita ya va perdiéndolo...

La mayorcita, en efecto, sabía decir sin acento « ¡Hola, vizconde!,» «Yo lo tomo sin azúcar» y demás frases de alta comedia; pero la pequeña era incorregible, y, mientras no perdiese el acento, no le permitirían hablar. En aquella compañía se suponía, probablemente, que la acción de todas las comedias ocurre en la Luna.

No se le autorizaba a nadie acento ninguno. Una marquesa con dejo gallego o catalán, andaluz o madrileño, les resultaba inadmisible, como si las marquesas no nacieran en ninguna parte. Y la pobrecita muda no podría romper a hablar hasta que hubiera desnaturalizado su voz por completo y lograra expresarse como un fonógrafo. Mientras tanto, su madre le cuidaba el acento lo mismo que pudiera cuidarle una enfermedad del hígado.

— Fíjate, mujer — solía decirle —. Ayer ibas ya muy bien, pero hoy te encuentro mucho peor.

— ¡Qué quiere usted, mamá! Debe de ser el mareo...

El acento es uno de los grandes encantos de Galicia. Cuando yo llegué, los primeros amigos a quienes vi prorrumpieron en ayes lastimeros.

— ¡Fulaniño! — me decían —. Vendrás muy cansadiño. ¡pobriño!...

Parecía que lloraban, y lo que hacían era manifestar una gran alegría. Son los inconvenientes de este acento tan dulce.

Pero yo no quiero hacer comentarios sobre el acento gallego. En esto de los acentos tengo yo una experiencia algo desagradable y no desearía repetirla con mis propios paisanos.

El tren de Villagarcıa

No bien asumió el Poder, el Gobierno provisional de la República empezó a suspender diarios de gran circulación, y, si se tiene en cuenta que casi todos los ministros procedían del periodismo, habrá que comparar este hecho histórico con el de
5 Hernán Cortés, cuando, en su propósito de no abandonar jamás ni un palmo del territorio que conquistase, quemó todas sus naves al llegar a Méjico. Yo me encontraba, a la proclamación de la República, en Nueva York, enviando correspondencias al *A B C*, y decidí regresar a España. Por cierto que en la hoja de desem-
10 barque, allí donde cada cual tiene que declarar el objeto de su viaje, puse « Solicitación de un alto cargo »; lo que, por un sí o por un no, me valió la más amable acogida por parte de las autoridades del puerto. Huelga decir que aún no he solicitado nada; pero en aquellos días un español que al repatriarse no
15 tuviera intención de pedir algo, se hubiera hecho sospechoso, y a mí no me gusta crearme complicaciones cuando estoy viajando.

Ello es que a los dos meses, más o menos, de proclamada la República, yo me encontraba en Villagarcía de Arosa esperando el tren de Santiago para ir a Vigo y trasladarme luego a Madrid.

No recuerdo ya la hora a que el tren debía encontrarse en la estación; pero habían pasado diez minutos y aún no había llegado. De pronto se oyó un ruido.

— El tren. El tren — dijo la gente.

5   — Ya viene.

El ruido, sin embargo, tenía más de humano que de mecánico. Era un ruido así como de toses, gemidos y estornudos. No parecía sino que alguien, una persona asmática probablemente, estuviese echando el bofe a un paso de nosotros.

10   — El tren. Ya está ahí — seguía diciendo la gente.

Y era el tren, en efecto; pero aún no estaba allí. Desde el punto donde se encontraba hasta la estación había una cuestecilla, y el tren no tenía fuerzas para subirla. Pasaban ya veinte minutos de la hora de llegada. El tren soplaba, jadeaba, suspiraba,
15 y la impaciencia del público iba transformándose en un sentimiento que tenía mucho de piedad. Ya conocen ustedes la ternura del alma gallega. Al ver los esfuerzos desesperados de aquel tren tan viejecito, una mujer del pueblo exclamó a mi lado:

— ¡Pobriño!...

20   Y, contagiado por el ambiente, hasta yo mismo, que llegaba de Nueva York, comencé a sentir remordimientos por haber ido a la estación con demasiado equipaje...

Por fin, en un esfuerzo supremo, el tren logró dominar la cuesta, y al poco rato apareció en el andén, donde unos hombres,
25 con la mayor solicitud, le hicieron tomar algo de agua, mientras otros le daban frotaciones y lo limpiaban del polvo y la carbonilla.

Y henos aquí ya en plena cuestión conceptual. No bien hubo el tren entrado en agujas, cuando un señor, no lejos de mí, exclamó a grandes voces:

30   — Pero, ¡habráse visto un escándalo semejante! ¿Cómo hay todavía autoridades que toleren esa máquina?

— Tiene usted razón — le dijo otro señor —. La verdad es que esa máquina para lo único que estaría bien es para tostar cacahuetes.

35   — No. Si yo no me refiero a la máquina precisamente — repuso el señor de las grandes voces —. La máquina es lo de

menos. Lo que me parece intolerable es que se llame como se llama. ¿No ve usted la placa? « Alfonso XIII. » Llevamos ya dos meses de República, y aún no le han cambiado el nombre. Es un verdadero escarnio...

En esto, yo tuve que instalarme en mi vagón, y no oí más; pero hasta que llegamos a Vigo — y el tren tomó con bastante calma la tarea de transportarnos — fuí pensando en la extraña psicología de aquel hombre, buen republicano al parecer, que no sentía el menor deseo de sustituir con otras mejores las pésimas máquinas de nuestros trenes; pero que quería a toda costa ponerles unos nombres nuevos. Aquel hombre había votado, sin duda alguna, a favor del cambio de régimen, y se daba por enteramente satisfecho con que este cambio quedase consignado en los nombres de las cosas; pero si las cosas no cambiaban, ¿qué clase de cambio era el que había que consignar?

Luego, en Madrid, me encontré a millares de republicanos con la misma mentalidad, y el señor de Villagarcía fué perdiendo interés para mí. Donde decía « calle de Alfonso XII, » aquellos republicanos ponían « calle de Alcalá Zamora. » Donde decía « plaza de Bilbao, » ponían « plaza de Ruiz Zorrilla. » No quedó un hotel con nombre monárquico, aunque en ninguno de ellos se procuró mejorar la comida ni el alojamiento. El teatro de la Princesa tomó no sé qué otra denominación, así como el Infanta Isabel; pero de las tonterías que solían representar en ambos no se preocupó nadie. Los duques quedaron convertidos en ex duques, como si antes hubieran sido duques realmente, esto es, como si el título ducal hubiese constituído un cargo en activo. Al Real Cinema se le llamó Cine de la Ópera, y si el Royalty sigue siendo el Royalty, es porque, según parece, nadie se ha enterado aún de que *royalty* quiere decir realeza.

Sí, señores. La cosa me parecía increíble; pero tuve que irme convenciendo de que son legión los republicanos que, habiéndose creído durante la Monarquía partidarios de un cambio de régimen, no fueron nunca, en rigor, más que partidarios de un cambio del nombre del régimen.

Gimnasia de lata

El amigo Bermúdez se despertaba todos los días a las ocho en punto de la mañana, abría las ventanas de su habitación, encendía la radio y se ponía a hacer gimnasia de acuerdo con las instrucciones que le daba el profesor de su
5 emisora.

— ¡A la una! ¡A las dos! ¡A la una! ¡A las dos! ¡A la una! ¡A las dos! — gritaba el profesor de una manera cada vez más imperiosa.

Y el pobre Bermúdez, muerto de sueño como estaba y con
10 sus buenos cuarenta y cinco o cincuenta años a cuestas, doblaba y estiraba las piernas alternativamente repitiendo:

— ¡A la una, a las dos! ¡A la una, a las dos! ¡A la una, a las dos!...

— Tenemos que aprovechar el aire puro de la madrugada
15 para limpiar bien nuestros pulmones — decía después el profesor —. ¿Que estamos rompiendo a sudar? No importa. En seguida nos daremos una ducha fría y ya verán ustedes el apetito que se nos abre a todos para el desayuno. Ahora hagamos una aspiración a fondo por la nariz y luego exhalemos por la boca el aire que

hayamos respirado. ¡Aspiremos! ¡Exhalemos! ¡Aspiremos! ¡Exhalemos! ¡Aspiremos!...

Pero una cosa es predicar y otra cosa dar el trigo, y mientras Bermúdez, al igual de tantísimos incautos, creía estar oyendo directamente la voz de un profesor de gimnasia contratado por su emisora, lo que oía en realidad era un disco de gramófono que el muy ladino había hecho impresionar un día a fin de poder dormir a pierna suelta todos los otros. El profesor, en efecto, no se levantaba nunca antes de las diez o las once, y por eso, precisamente, es por lo que se conservaba siempre en forma. El sueño de la mañana le sentaba a las mil maravillas y, en tanto hubiese personas de buena fe que sacrificasen el suyo para asegurar el de él, buen tonto sería en no aprovecharlo.

—¡A la una, a las dos! ¡A la una, a las dos! ¡A la una, a las dos!...

En la práctica, naturalmente, daba lo mismo el que las lecciones gimnásticas fuesen frescas o de lata como la mayoría de las verduras, que, a esta altura del año, suelen servirnos en el *restaurant*, pero, de todos modos, si el distinguido público que, a poco de despuntar la aurora, saltaba de la cama para complacer a su profesor y, creyéndose acompañado por éste, se ponía a hacer unos volatines y unas cabriolas que lo iban a dejar derrengado para todo el día, pudiese ver lo muy a gusto que el tal profesor se encontraba a aquella hora en el mundo de los sueños, tendría, indudablemente, la sensación inequívoca de que se la habían estado dando con queso, si vale esta forma de expresión ahora que ya se ha suprimido el racionamiento de los productos lácteos. La práctica será la práctica, pero, ¿y la propaganda por la conducta? ¿Es que esto no tiene ya el menor valor?

— ¡Aspiremos, exhalemos! ¡Aspiremos, exhalemos! ¡Aspiremos, exhalemos!... El aire matinal es un verdadero bálsamo para nuestros pulmones y no debemos desperdiciarlo por nada del mundo — dice el disco de la emisora.

¡Y si, a lo menos, el autor de este disco lo hubiese hecho impresionar una mañana temprano!... Pero mucho me temo que, ni para impresionarlo, se haya tomado el hombre un día la molestia de madrugar...

Hidalgos y trovadores

Eran sumamente pintorescas las ideas que había en París acerca de nosotros cuando yo estuve allí por primera vez.

— ¿De qué parte de España es usted? — me preguntó a mí un francés un día.

— Yo soy de la provincia de Pontevedra — le res- 5 pondí.

El francés intentó, inútilmente, pronunciar Pontevedra.

— ¡Pontevedrá! ¡Pontevedrá! — exclamaba —. ¡País de toreros!...

— No especialmente — le dije yo. 10

— ¿No hay toreros en Pontevedrá? Es extraordinario. Sin embargo, Pontevedrá pertenece bien a la Andalucía, ¿no?

— No.

— Es extraordinario. Entonces usted no es andaluz.

— No, señor. 15

— Es extraordinario. Yo creía que todos los españoles eran andaluces.

— Todos los españoles somos quizá un poco andaluces, como ustedes los franceses son todos « un poco de Tarascón »;

pero los menos andaluces de todos somos los de la provincia de Pontevedra.

— ¿Y usted vivía siempre en Pontevedrá?

— No. Yo vivía en Madrid.

— ¡Madride! ¡Madride! ¡Ah! ¡Cómo yo amo los naranjos!... 5

Si en vez de decirme que amaba los naranjos, aquel hombre me hubiese dicho que amaba las naranjas, su exclamación me hubiese parecido bastante menos absurda.

— ¿Por qué dice usted que ama los naranjos? — le pregunté.

— Por Madride. ¿No es Madride el país de los naranjos? 10

— No. En Madrid no hay más que naranjas.

— Es extraordinario. Yo creía... Pero Madride es bien el país de los olivos. El país de los naranjos es Toledo, ¿no?

— No, señor.

— ¿No hay olivos en Madrid? 15

— Ni uno.

— Pero entonces, ¿cuál es la vegetación de Madride?

— El perejil, los berros, alguna lechuga...

— Es extraordinario. Pero en Madride hay toreros, ¿no?

— Sí. 20

— Y trovadores.

— También.

— Diga usted: los trovadores deben de ser muy molestos, ¿verdad? No se podrá dormir con tantos trovadores...

— Según. No hay más que abrir el balcón y echarles un 25 jarro de agua. Se van en seguida.

Una muchacha que asiste al diálogo se cree en el caso de intervenir en favor de los trovadores.

— ¡Pobrecillos! — dice —. A mí me gustaría mucho que me hiciesen serenatas. ¿Es usted amigo de muchos trovadores? 30

— Los que trato con más intimidad son dos, señorita: Carrere y Villaespesa.

— Serán muy guapos.

— Guapísimos.

— Y se vestirán con ricas y preciosas telas. 35

— No lo sabe usted bien.

— Llevan siempre la guitarra debajo del brazo, ¿no?

— Constantemente.

— ¡Ah! ¡Cómo ellos deben de ser gentiles! ¡Cómo ellos deben de ser gentiles! Cuando yo vaya a Madrid, ¿querrá usted
5 decirles que me den una serenata?

— Con mucho gusto.

— Y los hidalgos — interrumpe en este punto el francés —. ¿Salen mucho a la calle los hidalgos en Madride?

— De cuando en cuando.

10 — Llevarán siempre ese sombrero... ¿Cómo se llama?

— ¿El sombrero calañés?

— Sí.

— Siempre — le respondo.

— ¿Y el calzón corto?

15 — Eso es. Sombrero calañés y calzón corto.

— ¿Y tienen las barbas muy grandes?

— Muy grandes.

— Pues yo creía que los hidalgos no salían más que en las procesiones.

20 Una pequeña pausa.

— ¿Y las bailarinas? ¿Hay muchas bailarinas en Madride?

— Regular.

— Pero las bailarinas de Madrid no serán andaluzas — observa la muchacha.

25 — No — le contesta el francés —. Las bailarinas andaluzas son todas de Barcelona, ¿no?

— Sí — le digo.

— Es extraordinario — exclama la muchacha.

— Es extraordinario — repite el francés.

30 — Es extraordinario — pienso yo.

El domingo inglés

Se dice que el domingo inglés ha mejorado mucho, y, dentro de la gravedad, es posible que sí. Lo más inglés de Inglaterra, sin embargo, será siempre el domingo inglés. Lo más inglés y lo más lúgubre, y lo más estirado y lo más bíblico.

Yo he conocido a un inglés que sabiendo el francés perfecta- 5
mente, se negaba de un modo rotundo a hablarlo en domingo porque le parecía impropio de la santidad del día.

— Es un idioma demasiado alegre — explicaba —. Un idioma demasiado frívolo y mundano.

Y al decir mundano, no cabía duda de que mi inglés quería 10
decir « demimundano », pero no lo decía porque era domingo. Era domingo, y en domingo hay que apartar de la imaginación todos los malos pensamientos...

Domingo. Domingo inglés en una casa de huéspedes inglesa. No se puede jugar al billar como los otros días, ni a las cartas, 15
ni a nada. En la calle todo está cerrado. Se oyen las campanas, unas campanas — tin tan ten, ton tin tan, ten ton tin, tan ten ton — que tienen la pretensión de hacer música sinfónica. Las campanas inglesas le dan a uno la idea de un cielo inglés, un cielo muy.

tranquilo, muy silencioso, donde todo está muy ordenado y donde los bienaventurados se pasean llevando siempre la derecha.

— ¿Quiere usted venirse al cielo? — parecen decirle a uno las campanas inglesas —. Pues como nuestro cielo es muy frío, si quiere usted venir le encenderemos la chimenea, y ya verá usted qué a gusto nos vamos todos a aburrir allí...

Se oyen las campanas. Mr. Nakamura, un japonés que vive conmigo en la pensión, me dice:

— ¿Sabe usted cuántas cosas hay en esa repisa?

— No.

— Hay treinta y siete...

Miss Wilson supira. Mr. Tree fuma su pipa y lanza al aire anillos de humo. Es el campeón de la casa en el deporte de los anillos de humo. A veces lanza consecutivamente dos o tres, y entonces mete su bastón por entre ellos y los lleva de un lado al otro hasta que se desvanecen.

— Yo quisiera leer cuentos de hadas — exclama Miss Wilson.

En el fondo de la sala, tendido en una *chaise longue*, Mr. Linsey lee un periódico. De cuando en cuando se echa a reír con un estrépito formidable. Es que algo le ha hecho mucha gracia. Se ríe uno o dos minutos y se para en seco, pasando sin transición de la risa desenfrenada a la más perfecta seriedad inglesa. El periódico que lee Mr. Linsey es el *Financial World* (*El Mundo Financiero*).

— ¿Sabe usted cuántas veces se ha reído usted esta mañana? — le pregunta a Mr. Linsey Mr. Nakamura.

— No.

— Pues se ha reído usted catorce veces.

Las campanas siguen tocando. Entra una muchacha con unas tazas en una bandeja. Si esta muchacha tuviese algo de imaginación dejaría caer la bandeja y nos divertiríamos todos un poco. Yo subo a mi cuarto y me pongo una corbata muy chillona que tengo, para introducir alguna novedad en la reunión. Mr. Tree sigue haciendo anillos de humo. Miss Wilson suspira.

Mr. Linsey lee. Mr. Nakamura supongo que estará contando mentalmente las campanadas de la iglesia vecina.

— Mañana es lunes — dice Mr. Tree.

Y echa al aire un anillo de humo en el que no pone la menor
5 fantasía.

Pero yo no estoy nada seguro de que mañana sea lunes, o, por mejor decir, no estoy nada seguro de que el día de hoy tenga una mañana. Mi impresión es la de que el tiempo se ha parado por completo en esta casa de huéspedes y la de que todos
10 nuestros relojes están funcionando en el vacío.

Turismo y colonización

Hace algunos años los ingleses iban en bandadas por el mundo, mirándolo todo con un profundo desprecio. Se aburrían de un modo admirable, con un aburrimiento de hombres superiores a todos los medios de diversión que se habían inventado en el continente. Desdeñaban todos los idiomas, y si por casualidad se decidían a hablar algunas palabras de francés, lo hacían con mucho más acento inglés que cuando hablaban inglés. Comían a su manera, jugaban a su manera, pasaban el tiempo a su manera. Y así fué cómo impusieron en toda Europa sus trajes, sus cigarrillos, sus tés, sus *whiskies*, sus juegos de cartas y sus deportes. Aquella inadaptabilidad al medio que los caracterizaba, aquella torpeza y aquella incapacidad para aprender idiomas no eran una inferioridad, sino una fuerza.

Esta fuerza o una fuerza análoga la tenemos también los españoles; pero lo que pasa es que el inglés desprecia el mundo como inglés, y el español lo desprecia como Fulano de Tal. El orgullo del inglés es colectivo, mientras que el del español es individual. El español es inadaptable al medio europeo como lo es al medio español. Todos los ingleses que haya en cualquier

parte forman siempre una colonia inglesa, y cada español, en cambio, forma una colonia por sí solo. En Niza o en El Cairo, o en cualquier lugar cosmopolita, el observador verá que hay siempre una colonia extranjera a la que pertenecen polacos, argentinos, alemanes, daneses, etc.; una colonia inglesa que no tiene nada que ver con la colonia extranjera, y, luego, una cantidad mayor o menor de españoles diseminados.

Por eso, con cualidades tan semejantes, el turista inglés llegó en un momento dado a conquistar el mundo, y el turista español no. Por eso y por otra cosa de una importancia psicológica mil veces mayor: porque antes el inglés salía siempre de su isla con dinero, y el español no solía tener nunca dos reales.

Todo lo cual viene a cuento de un estudio muy documentado que acabo de leer sobre la colonización inglesa. Para mí la colonización inglesa ha sido, ante todo, una colonización de carácter turístico. Un inglés llegaba a un pueblo cualquiera, y, a la larga, como el pueblo no podía absorber al inglés, ocurría fatalmente una de estas dos cosas: que o lo eliminaba o el inglés absorbía al pueblo.

La gratitud

Estamos en Berlín durante la primera guerra mundial o quizá durante la segunda — yo he asistido a ambas, y estoy casi seguro de que asistiré también a la tercera; no es extraño el que mis recuerdos se encuentren algo confusos —. Un soldado con
5 el brazo en cabestrillo entra en un café de la Potsdamer Platz y busca asiento. Va a ver gente, a olvidar las visiones horribles de la campaña y a oír un poco de música alegre. ¡Si tocaran el *Püppchen!*... Al soldado le gustaría recorder las noches de Halensee y de Neuköln, donde, a lo mejor de un baile, solían apagarse los
10 focos y el local quedaba iluminado solamente por una luna de cartón que tenía una bombilla detrás: una luna picaresca que sacaba la lengua y guiñaba el ojo. ¡Aquellos gritos! ¡Aquellos chillidos en la sombra!... El truco de la luna de cartón, viejo como el propio Berlín, parecía, sin embargo, sorprender siempre
15 a las muchachas. Los hombres lo encontraban, a su vez, alta-mente espiritual. Hay quien sólo tiene en sus recuerdos de amor, por toda pálida y romántica luna, la luna de cartón de los bailes berlineses, y lo curioso es que se contenta con ella. Así, tal vez nuestro soldado, que entra y busca asiento, como digo, en un

café de la Potsdamer Platz. Su entrada produce gran emoción.

— ¡Un herido!

— ¡Un héroe!

5   — ¡Tiene la Cruz de Hierro!...

El patriotismo popular se exalta a la vista de aquel soldado
que procede del campo de batalla. En homenaje suyo, y considerándolo un representante de cuantos luchan por la patria en
peligro, la orquesta ataca el *Deutschland über Alles*. « Deutschland,
10 Deutschland,» canta a coro todo el público.

Y las notas son soberbias, pero no se parecen al *Püppchen*,
precisamente. No evocan las noches de Halensee cuando un
soldado juraba a su adorable Gretchen amor eterno a la luz de
una luna de cartón.

15   El soldado aguanta el himno, sorbe su bebida y se va. En un
café de la Friedrichstrasse tocan un vals. El soldado, que oye
vagamente la música desde la puerta, se decide a entrar. Después
de dos meses de campaña y quince días de convalecencia, las
notas del vals le conmueven con una alegría que hace asomar las
20 lágrimas a sus ojos. Pero a la entrada del héroe, el primer violín,
con una hábil transición, se lanza de lleno en el *Deutschland über
Alles*. Todo el mundo se levanta, los ojos puestos en el soldado.

— ¡Viva Alemania!

— ¡Viva nuestro heroico ejército!...

25   En un tercer local, y después del tercer *Deutschland über
Alles*, nuestro soldado es acosado a preguntas sobre la campaña.
¡Que si la oficialidad! ¡Que si la aviación! ¡Que si la infantería!
¡Que si la caballería!...

Y he aquí a un pobre soldado que es víctima de la gratitud
30 de su patria. Yo le hice una vez un favor a un amigo y sé lo que es
eso de sentirse acosado por un sentimiento de gratitud. Durante
una temporada, que a mí me pareció una eternidad, mi amigo me
convirtió la vida en una verdadera miseria. Venía a expresarme
su reconocimiento por las mañanas temprano, interrumpiendo mi
35 sueño, y no me dejaba nunca solo por las noches, con el pretexto
de que, como yo le había prestado un servicio tan grande, él

debía acompañarme hasta la misma puerta de mi casa. Me ponía en ridículo ante las gentes, diciéndoles que yo era una excelente persona, un infeliz y un alma de Dios, esto es, casi un idiota. Me llamaba su padre... La intención era buena, pero los resultados eran sumamente nocivos. 5

Y, como la intención de aquel amigo para conmigo, la intención del público berlinés para con los soldados en convalecencia era también inmejorable; pero a los pobres soldados se les hacía demasiado fatigosa.

Plumas de avestruz

En los años inmediatamente anteriores a la primera guerra mundial, cada pluma de avestruz costaba en Londres una libra esterlina, y una libra esterlina era entonces una cantidad de dinero sumamente respetable. Por una libra esterlina podía usted
5 alojarse un día entero, todo comprendido, en un gran hotel de cualquier gran ciudad. Por una libra esterlina podía ver usted torear mano a mano desde una magnífica barrera, a Bombita y Machaquito, mientras se fumaba, como era de rigor, un habano de a palmo. Por una libra esterlina podía usted oír cantar a Caruso
10 en el Metropolitan Opera House de Nueva York. Por una libra esterlina podía usted beberse una botella de champaña en cualquier *cabaret* de Montmartre, y por una libra esterlina, en fin, hasta podía usted adquirir un litro del agua, perfectamente garantizada como los vinos de Burdeos que llevan la *mise en*
15 *bouteille du château*, en que hacía sus abluciones el Aga Khan, y la que, tomada con fe, lo mismo servía, según los técnicos, para curar un tabardillo que el reuma más rebelde.

Era muy respetable, como digo, la libra esterlina en aquella época, y cuando las plumas de avestruz alcanzaron ese precio, todo el mundo en los alrededores de Oudtshoorn (África del Sur) se dedicó a criar avestruces. El procedimiento no podía ser más sencillo. Se cogían cientos de huevos de avestruz — los cien huevos pueden pesar de 120 a 150 kilos — y se contrataba a cientos de bellezas indígenas para que los empollasen, permaneciendo sentadas sobre ellos, en una perfecta inmovilidad, días y más días. Luego, y cuando los avestruces llevaban ya algunos meses fuera del cascarón — porque los polluelos eran alimentados tan sólo con los huevos sobrantes —, se los abandonaba a su propia iniciativa, la que, en materia gastronómica, nunca ha reconocido límites. Los avestruces, en efecto, dotados de un estómago prodigioso y totalmente desprovistos de seso, lo digieren todo. Digieren piedras, que es lo más absurdo y disparatado que se puede digerir en este mundo; digieren neumáticos viejos; digieren los salakofs de los exploradores, y, por digerir, hasta creo que digerirían, si los encontrasen al alcance del pico, los pollos fosilizados que se venden en algunos de nuestros hoteles y casas de comida.

El caso es que, en muy poco tiempo, llegó a haber en el África del Sur más de un millón de avestruces, los que eran desplumados cada año, con gran indignación de muchas señoras, inglesas casi todas, a las que podemos dividir en dos categorías principales: las que carecían de medios para comprar plumas de avestruz y las que podían comprarlas a toneladas, pero se abstenían de hacerlo por el temor, bastante justificado muchas veces, de que si salían a la calle cubiertas con ellas, el público no las tomase por señoras sino por avestruces. A estas señoras no se les importaba un ardite de las pobres muchachas que, allá en el África, se pasaban la vida en una inmovilidad completa para incubar, sin romperlos, los huevos del avestruz; pero sentían, en cambio, una gran piedad por el aveztruz mismo, al que calificaban de tierno e inocente pajarillo. ¿Qué les parece a ustedes?

Por mi parte no creo que, en buena ética, tenga nadie el deber de ser un tierno e inocente pajarillo para evitar que lo desplumen, pero, téngalo o no lo tenga, yo niego que el avestruz sea tierno, niego que sea inocente y niego que sea pajarillo, ya que, por no ser, no es ni siquiera pájaro. No puede volar, que es la primera obligación de un pájaro, y, en cambio, corre que se las pela, llegando a hacer en muchas ocasiones hasta noventa kilómetros por hora.

5 El avestruz es feo, triste, desgarbado, estúpido y cobardón, y si no ha venido al mundo para producir plumas al objeto de que las mujeres guapas se adornen con ellas, no sé a lo que puede haber venido ni qué diablos es lo que está pintando todavía aquí. En último término, la cuestión a plantear es ésta: ¿En quiénes 10 lucen mejor las plumas de avestruz? ¿En los avestruces o en las mujeres? Pues si lucen mejor en las mujeres — y no temo que la habilidad dialéctica de ningún avestruz pueda jamás demostrarme lo contrario — es evidente que son las mujeres quienes deben apropiárselas, como parece que ya vuelven a hacerlo ahora, 15 siguiendo el inspirado consejo de Christian Dior y otros árbitros de la moda femenina.

Y que ninguna señora, cuáquera ni puritana, me diga que esto implica una crueldad, porque de una manera o de otra el avestruz será desplumado siempre, y cuando no se le desplume a 20 gran precio para gala y adorno de la mujer, se le desplumará a un precio ínfimo para hacer con su plumaje plumeros de limpiar el polvo.

Miss Smith y sus parricidas

Mi primer contacto con la vida inglesa tuvo lugar siendo yo muy joven, en casa de Miss Smith, donde residí una larga temporada como « invitado pagante. » No es que yo fuese allí realmente un invitado, puesto que pagaba, ni que fuese tampoco un huésped de pago, puesto que era un invitado, pero esta designación ambigua y contradictoria de invitado pagante salvaba, en cierto modo, las apariencias y ponía a Miss Smith muy por encima de las patronas vulgares y corrientes. Miss Smith pertenecía a esa categoría sutil que se define en Inglaterra como la *middle middle class* o clase media de en medio, y que está tan lejos de la *high middle class* o clase media de arriba como de la *low middle class* o clase media de abajo, no siendo en rigor una verdadera clase media, sino más bien una clase intermedia.

Ésta era la clase a que pertenecía Miss Smith y no hay colectividad en el mundo entero donde se hile más delgado de lo que se hila en ella. A mí Miss Smith me tuvo en observación durante unos quince días, por lo menos, y cada vez que yo me sentaba a su mesa, notaba, con la natural turbación, que todos los ojos se fijaban en mí. Rumores muy insistentes afirmaban que

había extranjeros capaces de ponerse a rebañar con miga de pan el fondo de sus platos, y la familia estaba llena de alarma, aunque sin razón alguna para ello, ya que los platos de Miss Smith no tenían nunca nada que rebañar. ¿Intentaría yo también por un hábito ancestral — pensaban Miss Smith y los suyos — rebañar 5 mi plato, o tendría la fuerza de voluntad necesaria para resistir a la tentación? ¿Haría sopas, o no las haría? ¡Duda verdaderamente angustiosa, porque si yo hacía sopas, la casa de Miss Smith quedaría *ipso facto* deshonrada para siempre y en lo futuro nadie podría conservar ya en ella el debido respeto de sí mismo! 10

Por aquel entonces se había cometido en la gran ciudad el crimen más espeluznante que a nadie le sea dable imaginar. Un hombre había cosido a puñaladas a sus ancianos padres para despojarlos de sus míseros ahorros y entregarse con ellos al cultivo de los vicios más degradantes, y cuando al cabo de varios 15 días la Policía logró dar con el criminal, éste se encontraba tan orondo en un bar de los barrios extremos haciendo sopas de bizcocho en un tazón de café con leche. Era el dueño de la casa, Mr. Smith, quien, con un diario en la mano, iba leyéndonos todos estos pormenores en voz alta, y al llegar a lo de las sopas, su hija, 20 que hasta aquel momento no había demostrado mayor interés ni emoción por el relato, dió un terrible respingo.

— Pero ¿cómo? — exclamó —. ¿Es que el parricida hacía sopas? ¡Qué horror...!

Y es que la angelical criatura no estaba dispuesta a pasarle 25 a ningún parricida, por mucho que éste hubiera podido distinguirse en el ejercicio de sus actividades profesionales, una falta de etiqueta tan monstruosa. No. Ella quería unos parricidas muy limpitos, muy educaditos y muy bien habladitos, que al término de su jornada laborable, y una vez realizados los parricidios que 30 les hubiesen tocado en turno, se diesen una buena ducha para cambiarse de ropa, y los que, sobre todo, no olvidasen nunca sus *manners at table* o modales de mesa, porque si alguno los olvidaba, ¿cómo podría sorprenderse luego nadie de que el juez lo condenase a la horca? Ahora bien, los buenos modales de mesa, según 35 Miss Smith, consistían:

Primero. No sólo en decir *please* o « por favor » cada vez que se le pidiese la sal a un vecino, sino, y aunque ya tuviera su comida demasiado salada, en pedirle al vecino la sal constantemente con el único y exclusivo objeto de poder decirle *please*; y

5   *Segundo.* En no hacer nunca sopas, cualesquiera que fuesen los motivos o circunstancias que le impulsaran a uno a hacerlas.

¡Tiempos aquéllos, eh, Miss Smith! Hoy tengo entendido que obligada por las restricciones a no desperdiciar comida inútilmente, toda la *middle middle class* inglesa se ha puesto a hacer

10 sopas, como cada quisque, y hasta que ha llegado a tomarlas el gusto y las hace ya con verdadera voluptuosidad. Lamento el motivo, pero celebro la consecuencia, porque, dígase lo que se diga, las sopas son cosa excelente y sólo pueden constituir un objeto de censura en países o clases sociales de salsas pobres y

15 de malos guisados. El pan no es esponjoso más que para que sirva de esponja, y el hecho de que en Inglaterra haya habido algún parricida adicto al sopeo cuando todo el mundo se negaba allí a sopear, no quiere decir, ni muchísimo menos, que entre el sopeo y el parricidio exista la menor relación teórica.

Las prosas imaginarias

Tan pronto Clemenceau se hizo cargo en Francia de la jefatura del Gobierno durante la primera guerra mundial, suprimió la censura de Prensa, e, *ipso facto*, la venta de periódicos disminuyó en un veinticinco o un treinta por ciento. Los periódicos franceses, en efecto, que desde el comienzo de la guerra venían saliendo todos los días a la calle con grandes espacios en blanco, dejaron de venderse, precisamente porque al serles suprimida la censura comenzaron a salir sin blanco ninguno, y, mientras en las redacciones nadie acertaba a explicarse este fenómeno, el viejo Clemenceau, que lo había previsto, se frotaba las manos de gusto.

Clemenceau estaba en el secreto, porque, periodista de toda la vida, había conquistado a fuerza de « blancos » la mitad, por lo menos, de su reputación profesional. Mucho más que por lo publicado, las gentes lo habían admirado siempre por lo suprimido, y mucho más que por lo que decía cuando estaba en la oposición, por lo que se suponía que había querido decir.

— Está muy bien esto — pensaba el público ante un párrafo

« negro » de *monsieur* Clemenceau —; pero, indudablemente
— añadía ante un párrafo « blanco » —, esto otro debía
estar bastante mejor todavía. Si no, la censura no lo hubiese
tachado.

La popularidad del terrible polemista aumentaba en razón
directa de los párrafos que le iba echando abajo la censura, y las
gentes lo elogiaban tanto más cuanto lo leían menos. Hubo un
día en que Clemenceau no publicó más que el título y la firma
por todo editorial de *L'Homme Enchaîné*, y aquel día fué el delirio.
Los lectores, si puede llamárseles así, se recomendaban unos a
otros, con el mayor entusiasmo, aquellas dos columnas de una
prosa completamente imaginaria.

— ¡Qué violencia la de este hombre! — decía uno.

— ¡Qué acometividad! — añadía otro.

— ¡Qué consecuencia en las opiniones! — exclamaba un
tercero.

Y el que más y el que menos, después de reconstruir mentalmente, y con sus propias ideas, los párrafos en blanco del gran
polemista, se declaraba de perfecto acuerdo con él y decidía
darle su voto en las próximas elecciones...

Fué verdaderamente una mala faena la que le hizo a la
Prensa Clemenceau suprimiéndole de golpe y porrazo la censura
al asumir la jefatura del Gobierno. ¿Cómo podría ya ningún periodista de oposición arrebatar a las masas con sus artículos si no
se le ponía la menor traba para escribirlos y se le dejaba decir en
ellos todo lo que quisiera? Un periodista al que le dejan decir
todo lo que quiere ya no puede decir que no le dejan decir todo
lo que quiere, y, si no dice esto, es como si no dijese realmente
nada. En ciertos momentos de la Historia el lector debe tener la
sensación de que el periodista está amordazado, y cuando sabe
que no lo está y que lo que escribe constituye la expresión total
de su pensamiento sin que detrás de ello quede más que el vacío,
suele experimentar una gran decepción.

Al suprimir la censura, Clemenceau suprimió los « blancos, »
y al suprimir los « blancos, » suprimió las prosas imaginarias, tan
superiores siempre a las reales. El pobre periodista de oposición

no tuvo entonces a mano otro recurso que el de los puntos suspensivos para simular que su pensamiento iba más allá de su palabra, pero Francia se encontraba en plena guerra y la opinión no estaba para puntos suspensivos.

El amor y el artritismo

Un día Bermúdez el solterón cenó con un matrimonio amigo y, terminada la cena, cuando los dos hombres se disponían a salir, la señora de la casa apareció en el vestíbulo con una bufanda de lana.

— Pero ¿serías capaz de echarte a la calle sin bufanda — le 5 dijo a su marido —. ¡Con el resfriado que tienes encima!... ¡Vamos! ¡Ven aquí!

Le ató enérgicamente la bufanda al cuello y le subió las solapas del gabán.

— Bermúdez — añadió — podrá decirte la nochecita que 10 hace. Hace una noche terrible y tú tienes que cuidarte. ¿Llevas pañuelo? No dejes de taparte la boca al salir...

Y en la calle, Bermúdez le preguntó tímidamente a su amigo:

— Pero ¿tan resfriado estás?

— ¿Quién? ¿Yo? ¡Qué voy a estar resfriado ni qué ocho 15 cuartos! ¡Tonterías de las mujeres, que siempre quieren ponerle a uno en ridículo! ¡Mire usted que hacerle cargar a uno con esta bufanda en una noche tan buena!...

Se veía que aquel hombre hacía esfuerzos para contener su

mal humor, pero Bermúdez lo envidiaba. ¿De modo que su amigo no tenía frío ni estaba acatarrado y, sin embargo, la mujer le obligaba a taparse la boca, a ponerse una bufanda y a llevar subidas las solapas del gabán? ¡Qué conmovedora solicitud!...
5 La noche era primaveral y, a pesar de ello, en su inquietud por la salud del cónyuge, la esposa amante proclamábala cruda y borrascosa. ¡Cuán grande y cuán profunda ternura!... Y pensar que él, Bermúdez, que muchos consideraban feliz por su independencia y falta de obligaciones, era un desdichado a quien
10 nadie le ponía bufandas a la fuerza y que podía ataviarse como le diese la gana...

Desde entonces Bermúdez se sentía cada vez más sólo en el mundo. A veces, después del aperitivo, los amigos decidían quedarse con él a cenar en el restaurante y, para evitar la bronca
15 doméstica, escribían largas cartas a sus casas diciendo que cenaban con ministros — los subsecretarios, aunque algo más verosímiles, eran mucho menos impresionantes —, con directores de periódico — los articulistas ya no surtían el efecto apetecido — o con miembros de la Academia de Ciencias Morales y Políticas
20 — los académicos de la Lengua no parecían lo bastante austeros — ... Y al pobre Bermúdez, mientras sus camaradas cultivaban con tan alada fantasía la literatura epistolar, se le partía el corazón.

«Yo no tengo que darle a nadie cuenta de mis actos —
25 pensaba —. Yo puedo cenar a mi antojo, y sin temer ningún género de recriminaciones, con un *croupier* o con un vendedor de gomas para los paraguas. ¿Habráse visto un destino más horrible?»

Y a los seis meses, poco más o menos, nuestro hombre
30 estaba casado. Estaba casado y fué feliz porque, en vez de fundamentar su felicidad conyugal en una base poética, pero generalmente ficticia, como es el amor, la fundamentó en una base prosaica, pero real, como es el artritismo. Bermúdez tenía reuma, y esta sagrada institución del matrimonio, en la que se apoya
35 entera nuestra civilización monogámica, no era para él ni más ni menos que un gigantesco balneario. Un balneario atendido por

mujeres afanosas que están siempre dispuestas a acoger al hombre cansado de rodar por la vida o de morderse las uñas entre sus cuatro paredes y que con la mayor solicitud le preparan sin tardanza una cama mullida y una tacita de caldo!...

Postales veraniegas

En Madrid no hay nadie en los cafés, ni en los teatros, ni en los bares, ni en los restaurantes. Los camareros y los acomodadores huelgan. En cambio los carteros no dan abasto distribuyendo tarjetas postales. Postales de la Sierra, postales del Cantábrico, postales del extranjero. « La playa es hermosa, la temperatura agradable, el pescado muy sabroso, » « Anoche he ganado quinientos escudos en el Casino, » « Qué hacéis en Madrid? ¿Vivís todavía, » « Recuerdos de Biarritz, » « Todas las noches tengo que dormir con manta, » « Me encuentro a 1.357 metros 60 centímetros de altura sobre el nivel del mar »...

Todo el mundo trata de demostrar que le va muy bien con el veraneo, que come con gran apetito y que se divierte atrozmente. El caso es molestar a los amigos. Cuando un veraneante escribe en una postal que se encuentra a 1.357 metros con 60 centímetros sobre el nivel del mar, quizá exagere un poco. En todo caso es seguro que no le perdona al amigo ni un solo centímetro. Le parece que cada palmo arriba de los mil metros va a aumentar la envidia del homre del llano y va a clavarse en su corazón como un palmo de daga más o menos florentina. Hay quien no tiene ya

fuerzas ningunas a los 1.000 metros de ascención, pero continúa subiendo para llegar al refugio de la cumbre, pedir postales y depositarlas allí mismo a fin de que lleguen a la ciudad con un cuño que diga: « Pico de tal. Tantos metros. »

5   Los carteros sudan la gota gorda. Un empleado de Correos amigo mío me dijo que la semana pasada y en un solo día se distribuyeron en Madrid más de veinticinco mil tarjetas postales, todas las cuales es seguro que estaban elegidas con el mayor cuidado por sus remitentes para dar la idea de que se encontraban 10 veraneando en el paraíso terrenal o muy poco menos. Porque el veraneante puede aburrirse como una almeja, pero no lo confiesa jamás. Al contrario, busca postales que representen su playa o su aldea como un encanto, como una maravilla y las firma a sabiendas de suscribir una impostura. Luego, el amigo recibe estas 15 postales en un cuartucho sin ventilación, compara sus bellezas con el paisaje que le rodea — una cama deshecha, un armario, la mesa de noche, el botijo, etc. —, y dice:

    — ¡Qué suerte tienen algunos!

    Supongo, sin embargo, que de las veinticinco mil postales 20 distribuídas el otro día en Madrid, muchas no iban, en realidad, dirigidas a nadie. Cada vez, en efecto, es más frecuente el que un señor se envíe postales a sí mismo desde los distintos puntos por donde pasa durante su excursión veraniega. Generalmente si estas postales se escriben en un sitio público, como la mesa de 25 un café o de un restaurante, se invita a firmarlas a todos los presentes. Y así se preparan recuerdos para la vejez.

    « Aquí he estado yo — se dice uno viendo, por ejemplo, la postal de una montaña tirolesa —. Esta señorita Mayer que firma debe de ser aquella morena que comía en la pensión 30 Wágner... No. La de la pensión creo que era la rubia. Debe de ser la *Frau Doktor* que tomó café una vez en la terraza del Alpenrose... »

    Se podría esperar que, por lo menos, estas postales con que los veraneantes se obsequian a sí mismos fuesen sinceras, pero el 35 veraneante no es sincero jamás, y en cuanto el señor García, veraneante, pide una postal para ponerle dos líneas al señor

García, ciudadano, su afán es deslumbrarle, anonadarle, y hacerle polvo, como si no se tratara del propio señor García, sino de otro señor cualquiera. ¿Qué no haría con el señor Gómez o con el señor Pérez?

Zuloaga

En vísperas de embarcarme para el Perú cenaba yo un día en Madrid con Ignacio Zuloaga. El gran pintor había sido invitado también por el Gobierno peruano para asistir a las fiestas del centenario de Ayacucho, pero no se decidía a hacer el
5 viaje. De su trato con los gitanos, quienes para ponderar la lejanía de un lugar cualquiera dicen que está « más lejos que Lima,» tenía la idea de que Lima no sólo es una ciudad lejana de tal o cual otra, sino que lo es de todas las ciudades. Una ciudad lejana absolutamente, y tan lejana de Madrid como del Callao o del
10 planeta Sirio.

— ¡Lima! ¡Lima! — decía —. Pero si eso es el fin del mundo ...

Daba la casualidad de que por aquellos días Zuloaga tenía que irse a Nueva York, lo que le ponía el fin del mundo a mitad de
15 camino, y, aprovechándome de esta circunstancia, yo hacía todo lo posible para animarlo.

— ¿Que Lima es el fin del mundo? ¡Vamos, hombre! Esa idea nos viene de la época de Pizarro, quien, habiéndose propuesto ir al Péru, tardó mucho en llegar a él por varias razones, y entre ellas por la de que no sabía donde el Perú podía encontrarse situado; pero hoy las cosas han variado completamente. Hoy va usted del Atlántico al Pacífico en un santiamén. Las distancias no existen, y el Perú no está actualmente mucho más lejos de Madrid que lo que en la época de Pizarro estaba Madrid de Trujillo.   5

Pero Zuloaga no cedía en su obstinación.

— Si a lo menos no hubiese perforantes en el Perú!... — exclamaba.

— ¿Perforantes?

— Sí. Perforantes. ¿Va usted a irse al Perú y no sabe lo que 10 son los perforantes?

Y para disipar mi ignorancia, Zuloaga me dió entonces una curiosa lección de zoología. Los perforantes, según él, eran unos insectos abundantísimos en el Perú que se les introducían a las gentes entre uña y carne y comenzaban a horadar.   15

— Para librarse de ellos — añadió — todo el mundo en Lima duerme con guantes.

Me pareció que Zuloaga exageraba un poco.

— Es posible — le dije — que los vecinos de Lima duerman con guantes y hasta quizá se pongan una flor en la solapa del 20 pijama. Yo siempre oí encarecer la elegancia de los limeños, pero nunca se me ocurrió establecer la menor relación entre ella y la fauna local.

— Usted podrá no creerlo — repuso Zuloaga —, pero yo, que he lidiado muchas veces toros de cuerpo entero, no quisiera 25 tener que habérmelas nunca con un solo perforante.

Y como el improvisado profesor de Historia Natural advirtiese que mi incredulidad iba en aumento, exclamó:

— El año pasado, en París, he conocido a un peruano que tenía la mano izquierda completamente hueca. Los perforantes se 30 la habían vaciado...

¿Qué va usted a contestar a una afirmación tan rotunda? Provisionalmente, al menos, había que admitir la existencia de los perforantes, y así lo hice yo, agregando que, después de todo, aquellos curiosos insectos honraban con su ingenio la fauna a que 35 pertenecían.

— Todo coincide — continué — en demostrar que el Perú es una tierra maravillosa y, una vez allí, usted no concebirá cómo ha podido hasta ahora pintar otros tipos ni otros paisajes. En cuanto viese usted a un indio, querido Zuloaga, se volvería
5 usted loco de entusiasmo.

— ¿Un indio? En todo el Perú ya no queda ninguno — afirmó Zuloaga de una manera concluyente.

— ¿Que no quedan indios en el Perú?

— Ni uno solo, créame usted a mí.

10 Confieso que esta seguridad me pareció un tanto excesiva, aun en labios del propio Zuloaga.

— Una de dos — le dije yo entonces —: o el Perú es un país primitivo donde el hombre no ha podido todavía vencer al insecto, y, en este caso, conserva todo su carácter, o una excesiva
15 civilización le ha quitado el carácter, lo ha modernizado y ha exterminado al insecto. Si me niega usted el indio, niégueme también el perforante, pero si me concede el perforante, concédame asimismo el indio.

Por un momento tuve la sensación de que Zuloaga se había
20 quedado preso entre las mallas de este razonamiento, pero el gran artista no era hombre que se dejase cazar sin más ni más.

— Lo extraño — exclamó tras una corta reflexión — sería que el indio subsistiera al mismo tiempo que el perforante. Uno de los dos tenía que vencer al otro y el perforante se ha comido
25 al indio ...

Y he aquí cómo, en aquel viaje al Perú, yo tuve que arreglármelas sin Zuloaga, compañero totalmente imposible de sustituir.

Nuevo concepto de la mujer fatal

Entra la estrella de cine en una fábrica que puede ser de tachuelas, o de fideos, o de tejidos, o de cigarros puros, o de azúcar de remolacha (a ella lo mismo le da). Entra la estrella acompañada del director y de un par de accionistas, y a medida que avanza por las amplias galerías, se nota una extraña conmoción 5 entre los hombres que las ocupan. Éste se estira y perfila dentro de su traje de faena; aquél alarga el pescuezo y reajusta, como quien no quiere la cosa, el nudo de su corbata; el de más acá hace una galante inclinación para dejar pasar a la bella mientras se atusa el pelo con un ligero movimiento de la mano, y el de 10 más allá le da unos tironcillos a su chaleco y proyecta hacia la hermosa visitante un ojo escudriñador que la enfoca desde todos los ángulos posibles, y al que no se le escapan más detalles de los que podrían escapársele a un microscopio electrónico. Total, que cada obrero pierde en estas operaciones de cinco a seis 15 minutos, y, en una planta de sólo quinientos obreros, cinco o seis minutos por obrero representan muy cerca de cincuenta horas. Ahora bien: ¿se imagina el lector la cantidad de fideos, pongamos por caso, que un hombre, provisto de los útiles

necesarios, podría elaborar en cincuenta horas de trabajo? Pues todos esos fideos le son sustraídos para siempre al consumo de la nación el día en que a una artista de cine se le antoja visitar una fábrica de pastas alimenticias.

Es un industrial amigo mío quien me hace estas considera- 5 ciones, añadiendo:

— No hay idea de los estragos que una mujer algo llamativa puede determinar en nuestra producción fabril.

— ¿Y por qué en la nuestra especialmente? — le pregunto yo.   10

— Pues porque en este país — me responde — los hombres no se conforman jamás con ver de cerca a las mujeres guapas, sino que todos ellos aspiran a impresionarlas de un modo favorable y, el que más y el que menos, no hay uno que no se considere en la imperiosa obligación de castigarlas un poco como decimos 15 ahora.

Presumo que mi amigo tiene la razón a espuertas, ya que no hay, en efecto, ni la menor idea del asunto en cuestión. Se ha hablado mucho de la influencia nefasta que una mujer hermosa puede ejercer sobre el corazón y sobre la economía de los hombres 20 — de ahí el calificativo de mujeres fatales con que se designa a algunas de ellas —; pero hasta ahora, que yo sepa, nadie ha estudiado todavía esa influencia en relación a la producción azucarera o a la textil, a la de fideos o a la de cualquier otra manufactura.   25

Y ya va siendo hora de que volvamos a nuestra artista de cine. Los técnicos que la acompañan van mostrándole las diversas instalaciones de la fábrica, procurando explicarle minuciosamente el funcionamiento de cada tuerca y de cada tornillo, y ella, que no se entera de nada, sonríe. ¿Que por qué sonríe si no se 30 entera de nada? Pues sonríe, precisamente, porque no se entera de nada, y, al mismo tiempo, sonríe por coquetería, por vanidad, por costumbre, porque le han dicho que sonriendo es cómo está más guapa, o por cumplir sus contratos publicitarios con los productores de pastas dentífricas. Sonríe a derecha e izquierda. 35 Les sonríe a los obreros; les sonríe a los directores; le sonríe al techo; les sonríe, en fin, a los hornos eléctricos y a las prensas hidráulicas o neumáticas, y prosigue su avance triunfal sin parar mientes en la desolación que va dejando tras de sí.

No sé si es muy frecuente el que en pleno trabajo nuestras fábricas sean visitadas por estrellas del cine o del teatro, ni si, en caso afirmativo, esto puede ocasionarle a nuestra producción los graves daños a que se refería mi amigo el industrial. Por mi parte, confieso que hay estrellas por las que yo renunciaría de buena gana a todo un mes de sopa de fideos; pero no le den ustedes demasiada importancia a esta opinión. A mí, después de todo, la sopa de fideos nunca me ha hecho mucha gracia que digamos...

La bohemia

No hay en el mundo mentalidad más rutinaria que la mentalidad bohemia. Una cosa es no tener convencionalismos y otra tener el convencionalismo de no tenerlos. Una cosa es la despreocupación y otra la preocupación de ser muy despreocupados. Una cosa, en fin, es carecer de hábitos regulares y otra el considerar la irregularidad como un hábito que no debe quebrantarse nunca.

Por mi parte, me parece perfectamente legítimo y disculpable el que un bohemio se exceda un día en sus libaciones, pero no veo por qué regla de tres se ha de considerar forzado a tomarse cada dos horas una copa de ajenjo, como si con ese producto de la destilería industrial se estuviese tratando de alguna afección interna. De igual modo, reconozco el derecho que tienen todos los bohemios para acostarse a la hora que mejor les venga en gana, pero al imponerse la obligación de no acostarse nunca antes del amanecer, son ellos mismos quienes renuncian a ese derecho y pierden la libertad de que suelen alardear tanto.

No. No hay mentalidad más rutinaria que la mentalidad bohemia. Originariamente el bohemio tenía una despreocupación en el vestir, que le permitía ir a todas partes de cualquier manera,

pero aquella magnífica despreocupación se convirtió después en
su preocupación principal, y hoy ningún bohemio digno de tal
nombre se atrevería a salir a la calle sin haber decorado previamente las solapas de su americana con algunos lamparones de
aceite, aunque necesite sacrificar a tal efecto una buena parte del 5
que le corresponda por ración. En cuanto al dinero, no es que la
bohemia siga mirándolo con aquel heroico desprecio que le
permitía antes cultivar las formas artísticas más antieconómicas,
sino que sólo lo antieconómico le parece ya artístico, y esto es
tomar el rábano por las hojas, porque hay cuadros que nadie 10
compra y que, sin embargo, son muy malos, y libros que nadie
lee y que, ello no obstante, no merecen la pena de ser leídos...

Creo que la bohemia ha confundido un poco los símbolos
con las cosas. Un sombrero mugriento, por ejemplo, puede
constituir en ciertos casos un símbolo de independencia, pero 15
cuando se lo adopta como distintivo profesional o gremial, pasa
a ser automáticamente un instrumento de esclavitud, y hoy el
bohemio es el esclavo de su sombrero, de su chalina, de su pipa,
de su ajenjo y hasta del horario que adoptó para acostarse y para
levantarse. Es, en fin, el esclavo de sus ideas emancipadoras, y con 20
su uniforme inconfundible pretende anunciarse nada menos que
como el enemigo acérrimo de toda uniformidad...

Un cumpleaños

Acabo de cumplir setenta años y no salgo de mi sorpresa. Jamás creí que llegase un día a cumplirlos. Cuando yo era joven, no había apenas hombres de setenta años en el mundo. Los hombres de setenta años, consecuencia directa de las vitaminas,
5 de los antibióticos, de las organizaciones sanitarias y de tantas otras cosas, son una creación exclusivamente moderna y constituyen, aunque a uno no le esté muy bien el decirlo, la última palabra en cuestión de hombres. De aquí el que, en mi juventud, los pocos hombres de setenta años con que yo me tropezaba
10 no se me hayan aparecido nunca como individuos de mi misma naturaleza, sino más bien como raros ejemplares de una especie próxima a extinguirse y completamente diferente de la mía.

¿Es que habían venido al mundo ya viejos y con barbas
15 blancas? ¡Vaya usted a saber! Quizá sí. Quizá hubiesen venido así al mundo, aunque mucho más pequeños, como es natural, y quizá hubiera sido de esa forma cómo las niñeras los habían llevado en brazos por el Retiro o·por donde fuese. Nunca me paré a considerar detenidamente estos detalles, pero, en el fondo

de mi conciencia, yo daba por demostrado el que los viejos habían sido viejos toda la vida y el que los jóvenes no teníamos absolutamente nada que ver con ellos.

He aquí, sin embargo, que, poco a poco, yo voy avanzando en edad y que, cuando más distraído estoy, me encuentro convertido nada menos que en un septuagenario, palabra terrible tanto por su forma como por su contenido. Sí, señores. Yo soy un septuagenario y, si las cosas continúan como hasta aquí, no desespero de llegar a alcanzar un día las cimas augustas del octogenariado, donde ya me esperan, desde hace más o menos tiempo, algunos amigos muy queridos como, por ejemplo, don Enrique Chicote, don Natalio Rivas y sospecho que don Sebastián Miranda, quien, sin disputa, es el que mejor se conserva de los tres. No tengo barbas, porque los septuagenarios de ahora no se las dejan y yo no quiero que se me tome por un septuagenario de los tiempos de Maricastaña, y tampoco tengo familia ni dinero. Lo único de que disfruto es de ciertos privilegios como, pongamos por caso, el de que se me ceda siempre el primer turno ante una puerta giratoria para que sea yo quien la empuje, y de algunos achaques, y digo que disfruto de estos achaques porque, ¿qué sería de mí sin ellos? ¿Qué sería del pobre señor que no está en edad ni dispone de medios para hacer grandes comilonas o de irse de juerga por ahí si no tuviese un hígado o un riñón que exigieran cuidados determinados y le ayudasen a sobrellevar en casa las largas veladas del invierno? ¡Hombres que os vais acercando a la setentena y que notáis algún desarreglo en vuestras vísceras: dejad a éstas tal y como están, porque una vejez con todas las vísceras en perfecto orden tiene, forzosamente, que ser una vejez tristísima!...

En fin, el caso es que acabo de cumplir los que, parodiando al señor Gutiérrez Gamero, llamaré mis primeros setenta años y que aquí me tienen ustedes aún. En la China podría ya, con perfecto derecho, ponerme la túnica amarilla de los ancianos, pero, ¿qué haría yo, disfrazado de canario, como aquél que dice, por las calles de este Madrid tan poco dado a la ornitología? Mejor será tal vez, próximos ya los grandes fríos, que vaya pensando en volver del revés mi gabán de invierno, ya que, de momento, no haya sastres que puedan volverlo del revés a uno mismo para prolongar su duración y hacerle tirar todavía, con relativo decoro, alguna temporadita más...

CUESTIONARIOS

Cuestionarios

1. LA CIUDAD DEL TIEMPO

1. ¿Cómo se pasa la vida Camba? 2. ¿De qué se siente poseído al llegar allí? 3. ¿Por qué le irrita tanto la ciudad? 4. ¿De qué clase de comparaciones se sirve el autor para definir la atracción de la metrópoli? 5. ¿Para qué no sirve el romanticismo de Wall Street? 6. ¿Cómo describía cierto poeta epañol las estrellas de Nueva York? 7. ¿Qué le parecen a Camba? 8. Según Camba, ¿qué cualidades de la ciudad le prestan un carácter romántico? 9. ¿Por qué se pregunta Camba si él será un caso morboso?

10. ¿De quién, quizá, necesitará los cuidados profesionales? 11. ¿Qué afán ineludible le impele a uno hacia Nueva York? 12. ¿Qué espectáculo ofrece el resto del mundo desde esa ciudad? 13. ¿A qué se parece esto? 14. Ante todo, ¿qué es Nueva York? 15. ¿Qué siente uno haber dejado atrás al llegar?

2. EL DESCUBRIMIENTO DE ESPAÑA POR LOS AMERICANOS

1. ¿Qué idea ha circulado profusamente por todo Madrid? 2. ¿A dónde ha trascendido, además? 3. ¿Qué se afirmaba

acerca de las neoyorquinas?   4. ¿Qué se come en los *restaurants*?
5. ¿Por qué cosas está loco Nueva York?   6. ¿Quiénes son los
amos de la ciudad?   7. ¿Qué ópera del compositor Granados se
estrenó en el Metropolitan?   8. ¿Por quién fué creada la Hispanic
Society?   9. ¿Qué le pasa al español en Broadway o en la
Quinta Avenida?

10. ¿Qué entienden aquí, generalmente, por español?
11. ¿Qué cosa no faltaba nunca en los *music halls* de París?
12. ¿Qué se publicaba cada año en París?   13. ¿Quiën fué
Morel-Fatio?   14. ¿Qué idea tenían las francesas de los españoles?   15. ¿Quiénes hacían de andaluces en los grandes
bulevares?

16. ¿Qué clase de españolismo ha pasado a las páginas de las
revistas humorísticas?   17. ¿Con qué motivo se indignaban
algunas personas de España?   18. ¿De qué se aprovechaban los
españoles de París?   19. ¿Qué es lo que todavía no tienen los
españoles de Nueva York?

20. ¿Qué idea es una mentira para Camba?   21. ¿Cómo se
explica el aumento de españoles en Nueva York?   22. ¿A qué
se dedican muchos de estos españoles para ganarse la vida?
23. ¿Por qué quieren aprender español los americanos?   24. ¿Qué
significa « sacar cabeza »?

3. LA LIBRE OPORTUNIDAD

1. ¿Cuánto vale uno en América?   2. Si Camba sale de su
casa con cinco dólares, ¿cuánto vale?   3. Si luego gasta dos
dólares setenta y cinco en cenar, ¿qué pasa?   4. ¿Cuál es la
tierra de la libre oportunidad?   5. ¿Para quiénes es idéntica la
oportunidad en América?   6. ¿Qué relación hay entre la fortuna
y la valía personal?   7. ¿Qué representan tantos millones de
dólares?   8. ¿Qué se realiza en seguida en América?   9. Si una
cosa cuesta tanto, ¿cuánto vale?

10. En los museos, ¿cómo se expresa el mérito de los
cuadros?   11. ¿Qué relación hay en América entre una corbata

de tres dólares y una de dos? 12. ¿Cómo es considerado aquí un hombre pobre? 13. ¿Cuál es el común denominador para todo en América? 14. Según Camba, ¿en qué se parece la música al petróleo? 15. ¿Qué les parece repugnante a los europeos?

16. Para Camba, ¿qué es lo más idealista de todo? 17. Para hacer dinero en los Estados Unidos, ¿a qué hay que dedicarse? 18. ¿Por qué no podría producirse el caso de Rockefeller en la música? 19. Sobre qué base se le atribuyen méritos personales a un hombre? 20. ¿Por qué es Fulano de Tal un hombre de mucho mérito?

4. UN PAÍS DE HOMBRES SOLOS

1. ¿Qué no había en los Estados Unidos hasta hace pocos años? 2. ¿Con qué motivo venían los hombres aquí? 3. ¿Cómo se explica Camba nuestro Far West tan romántico y tan cinematográfico? 4. ¿Qué consecuencia hay a sacar de la superabundancia de hombres? 5. ¿De qué se vanglorian los americanos? 6. ¿Qué han hecho al libertar a la mujer? 7. ¿Qué constituye la esclavitud de la mujer en algunos pueblos de Europa? 8. ¿Qué existe, según Camba, en la relación de hombres y mujeres en Europa? 9. ¿Qué tiene que hacer la mujer española de la clase baja?

10. ¿Sobre quién pesa toda la obligación de mantener la casa? 11. ¿Qué hay en las relaciones de uno a otro? 12. ¿Hay tal equilibrio en los Estados Unidos? 13. Si la mujer americana ha de tomar el puesto del hombre, ¿cómo debe hacerlo? 14. ¿Cómo lo ha tomado en efecto? 15. ¿Qué es la mujer en los Estados Unidos y cómo se la mira?

5. TODA AMÉRICA, MONTECARLO

1. ¿Cómo está planteada la vida en los Estados Unidos? 2. ¿Con qué frecuencia se hacen y se deshacen fortunas? 3. ¿Qué carácter tiene el dinero americano? 4. ¿Qué diferencia hay

entre la vida de otros países y la de América? 5. ¿Cómo se forman las fortunas en otros países? 6. ¿Qué clase de empleado es el dinero? 7. ¿Qué remedio le queda, en Europa, a un hombre verdaderamente emprendedor? 8. ¿Por qué se asemejan los Estados Unidos a Montecarlo? 9. ¿Cómo son los negocios en América?

10. ¿Cómo se podría calificar la historia de Rockefeller? 11. Si Rockefeller ganó en un caso dado, ¿a qué se debió? 12. ¿De qué carece el dinero en América? 13. ¿Qué sabe Camba cuando tiene veinte duros en América? 14. ¿En qué sentido es distinto el tener veinte duros en Europa? 15. ¿Qué valor tiene el dinero en Europa? 16. ¿A qué equivale venir a América? 17. ¿Cuánto se juega aquí todos los días? 18. ¿De qué se sirven los puntos para hacer sus jugadas?

6. LAS COSAS VIEJAS DE LOS PUEBLOS NUEVOS

1. ¿Qué dijo Óscar Wilde acerca de los Estados Unidos? 2. ¿Cuándo era que más se decía eso de los Estados Unidos? 3. ¿Para quién es viejo este dicho? 4. ¿Dónde se encuentran las cosas más viejas del mundo? 5. ¿Qué sensación tiene uno, a veces, hablando con un americano? 6. ¿Qué huellas ha dejado el puritanismo en la Inglaterra moderna? 7. ¿Pasa lo mismo en los Estados Unidos? 8. ¿Qué dejaría estupefactos a los ingleses? 9. ¿Cómo debiera ser la América española?

10. ¿Cómo se vive hoy en gran parte de Hispanoamérica? 11. ¿Qué costumbres se han conservado allí? 12. ¿Qué mentalidad se supone que deben de tener los españoles que llevan largos años de residencia en París, en Londres o en Berlín? 13. ¿Qué autores suelen citar los españoles que viven en aquellas ciudades? 14. ¿Si esos hombres se hubieran quedado en España, qué les habría pasado? 15. Fuera de España, ¿qué visión guardan de ella? 16. ¿Qué sensación tiene uno a veces en una reunión española de París o de Berlín? 17. ¿En qué sentido son los Estados Unidos un país mucho más viejo que Inglaterra?

18. ¿Por qué tiene Alemania una preocupación tan grande por su pasado? 19. ¿Por qué puede recordar su pasado con tanta facilidad? 20. ¿A qué se debe el espíritu viejo de América?

7. PSICOLOGÍA DE LAS CATÁSTROFES

1. ¿Qué transmite Nueva York al mundo todos los años? 2. ¿Cómo reacciona el mundo? 3. ¿Cómo organizan los americanos sus nevadas? 4. Cuando empieza a nevar en Nueva York, ¿qué hacen los neoyorquinos? 5. Cuando cesa de nevar, ¿qué hace el Municipio? 6. ¿Qué carecería de importancia en cualquier ciudad europea? 7. ¿Qué necesidad espiritual siente el americano? 8. ¿Qué dice Camba de las patadas y de los codazos que se administran los americanos en el *subway*? 9. ¿Cómo quieren los americanos plantear la vida?

10. ¿De dónde proviene esta tendencia? 11. ¿Qué ilusión se forja el americano? 12. ¿Cuáles son las consecuencias de esto? 13. Con dar a su vida una apariencia muy enérgica, ¿qué logran los americanos? 14. ¿Qué hacen los periódicos cuando empieza a nevar? 15. ¿Qué quiere anunciar cada periódico? 16. ¿Qué ven los periódicos de Madrid en una nevada? 17. Leyendo las informaciones del *Evening Telegram*, ¿qué se imagina uno? 18. ¿Qué parece la guerra europea?

8. LOS RASCACIELOS DE LA CIUDAD BAJA

1. ¿Cuáles son los edificios más viejos del mundo? 2. ¿Qué impresión producen? 3. ¿Por qué no son viejas las pirámides egipcias? 4. ¿A qué escuela arquitectónica pertenece la catedral de Santiago? ¿La de Burgos? 5. ¿Qué marca cada rascacielos de Nueva York? 6. ¿Quién tiene la culpa de la fealdad de estos edificios? 7. ¿Qué opinión tenían los europeos de nuestros rascacielos? 8. ¿Cómo reaccionaron los americanos? 9. ¿Qué parece la ciudad baja de Nueva York, vista un domingo?

10. ¿De qué carecen los rascacielos del bajo Nueva York?
11. ¿Cómo resulta hoy un rascacielos de hace diez años?
12. ¿Qué impresión produce un hombre montado en triciclo?
13. ¿Qué son los ascensores del Singer Building? 14. ¿Qué pasa poco a poco con los rascacielos? 15. ¿Por qué se avergonzaba de sí mismo el rascacielos? 16. ¿Qué va a buscar directamente ahora? 17. ¿Por qué es tanto más de admirar ahora la belleza del Empire State Building? 18. ¿Cuánto es capaz de gastarse Nueva York en uno de estos ensayos arquitectónicos?

9. NARICES EN SERIE

1. ¿Qué quería el doctor Hinojar hacerle a Camba en Madrid?
2. ¿Qué solía decirle a Camba? 3. ¿Qué hacía el médico?
4. ¿Qué constituye la nariz de Camba, además de parte principal de su fisonomía? 5. ¿Qué puede poner de mal humor a Camba?
6. ¿Qué ocurre en las tertulias madrileñas cuando uno se presenta con un traje nuevo? 7. ¿Qué quería el médico neoyorquino sacarle a Camba junto con el hueso? 8. ¿Qué va incluído en esta cantidad? 9. ¿Por qué hay que aplicarle a Camba el cloroformo?

10. ¿Qué divirtió tanto al médico? 11. ¿En qué se empeñó un amigo del autor? 12. ¿Qué impresión le produjo a Camba el hospital? 13. ¿Cómo supuso Camba que le iban a tratar la nariz en el hospital? 14. ¿Qué dice el amigo de los cirujanos?
15. ¿Qué dice Camba de la práctica quirúrgica? 16. ¿Qué métodos aplica el hospital a la gran cadena de narices? 17. ¿Cómo ha considerado siempre el doctor Hinojar la nariz de Camba?

10. TRAJES EN SERIE

1. ¿Qué tuvo que hacer el autor hace algunos días? 2. ¿A dónde se dirigió? 3. ¿Qué le hicieron allí? 4. ¿Qué le preguntó el vendedor? 5. ¿Qué intentó Camba con la mejor voluntad del mundo? 6. ¿Con qué resultado? 7. ¿Por qué

insiste el vendedor en que la casa no tiene la culpa? 8. ¿Qué quería insinuar el vendedor? 9. ¿Qué tiene Camba el derecho de descuidar?

10. ¿Qué le indigna tanto? 11. ¿Cuál es el principio de la industria americana? 12. ¿Por qué no hace gimnasia Camba? 13. ¿Qué es lo que nunca se le ocurriría pensar? 14. ¿Cómo salió el autor del almacén? 15. ¿Qué otra tienda le recomendaron? 16. ¿Qué es lo que Camba no ha querido reconocer oficialmente? 17. ¿Qué le pasó allí? 18. ¿Para qué no sirve Camba? 19. ¿A quién ha tenido que recurrir? 20. ¿Qué quiere decir « un sastre particular » en los Estados Unidos?

11. CRÍMENES EN SERIE

1. ¿Por qué cree Camba que se ha pasado un poco de listo? 2. ¿De qué son manifestación los crímenes de estas dos ciudades? 3. ¿Cómo se describen en la prensa los asesinatos que se cometen en la gran ciudad? 4. ¿Qué piensa el extranjero ante estos crímenes? 5. ¿Qué cosas hay que producir en serie? 6. ¿Cómo estaría el criminal que quisiera trabajar aquí por su cuenta? 7. ¿Qué han tenido que hacer los criminales americanos, y para qué? 8. ¿Cuáles son los gastos comerciales de los criminales americanos? 9. ¿Con qué material trabajan?

10. ¿Cómo se puede sacar el debido rendimiento al capital empleado? 11. ¿Qué normas se aplican al asesinato? 12. ¿Por qué es triste un asesinato en serie? 13. ¿Qué rechaza uno con gran repugnancia? 14. ¿Cómo tienen que proceder los criminales, según Camba? 15. ¿Dónde no podrían subsistir?

12. HANDS UP!

1. ¿Dónde se encontraba un gitano hace algunos días? 2. ¿Quiénes entraron en el local? 3. ¿Qué dijeron? 4. ¿Qué hizo el gitano? ¿Qué dijo luego? 5. ¿Qué haría Camba con las palabras del gitano? ¿Con qué objeto? 6. ¿Qué opina Camba que

falta aquí? 7. ¿De qué sentido carece la mayoría de los americanos? 8. ¿Qué raza constituye una excepción? 9. ¿En qué
no ven lo ridículo?

10.¿Son cobardes los americanos? 11. ¿Qué les falta?
12. ¿De qué es capaz el humor británico? 13. Cuando un
hombre tira de pistolón en Nueva York, ¿qué hacen las personas?
14. ¿Cómo lo hacen? 15. ¿Para qué sirve levantar las manos en
estas circunstancias? 16. ¿Qué pasaría si el público se negara a
levantar las manos? 17. ¿Qué harían muy pronto los pistoleros?
18. ¿Quién tiene el mayor tanto de culpa en todo esto? 19. ¿Por
qué levantaron las manos los primeros neoyorquinos?

20. ¿Cómo siguen levantándolas? 21. ¿A qué se parece
este automatismo? 22. ¿En qué no ve Camba la galantería?

13. LA AMERICAN GIRL

1. ¿Cuál es la gran creación americana? 2. ¿Qué se
pregunta uno a veces? 3. En cuanto a belleza, ¿cómo es la
chica americana? 4. ¿Quién tiene los ojos más bonitos? ¿Quién
la nariz más remangada? 5. Para vencer a la *American girl* en
conjunto, ¿qué tendrían que hacer las chicas de otros países?
6. Describa la hermosura de las chicas americanas. 7. ¿Qué es
lo que uno no se atreve a hacer? 8. ¿Cómo mascan goma las
americanas? 9. ¿Qué leyes especiales hacen falta?

10. ¿Cómo pasa el día el pobre ciudadano en los Estados
Unidos? 11. ¿Cuál sería una medida de precaución contra
posibles trastornos sociales? 13. ¿Cómo se explican la intrepidez
y la audacia de las mujeres americanas? 14. ¿Por qué no se hizo
atrás el inca Atahualpa? 15. Según Camba, ¿cuáles son los
atributos especiales de la *American girl*?

14. LA NUEVA LITERATURA

1. ¿Qué representan los autores Upton Sinclair, Sinclair
Lewis, y Eugenio O'Neill? 2. ¿A quién habría votado
Camba para el premio Nobel? 3. ¿Qué constituye la verdadera

creación literaria de América? 4. ¿Con qué objeto compra el autor una revista todos los días? 5. ¿Qué ocurre cuando sus ojos tropiezan con un anuncio? 6. ¿Qué contienen las revistas americanas en sus páginas de publicidad? 7. Para Camba, ¿qué es tan divertido como pasarse una hora viendo escaparates en Broadway o en la Quinta Avenida? 8. ¿Qué pregunta hace una empresa de pompas fúnebres? 9. ¿Qué le parece esta pregunta a Camba?

10. ¿Dónde se revela mejor la aportación del pueblo americano a la literatura universal? 11. ¿Qué hace falta para explicar el arte literario moderno? 12. ¿Qué carácter tienen todos los anuncios publicados en el mundo? 13. ¿En qué influye la literatura de anuncios? 14. ¿Qué rasgos son evidentes en cualquier escritor actual? 15. Según Camba, ¿quiénes cultivan la novela y la poesía en América? 16. ¿Qué ocurre en América cuando un autor revela originalidad y un talento positivo? 17. ¿De qué es expresión la literatura comercial americana? 18. ¿A qué equivale? 19. ¿Qué aspectos andan siempre entremezclados en la conciencia puritana? 20. ¿Cúal es el contenido espiritual de la literatura comercial americana?

15. LA PULMONÍA DEL POBRE

1. ¿Qué es lo que Camba ha sospechado siempre? 2. ¿Qué duda tiene? 3. ¿Cuántos resfriados hay en los Estados Unidos cada año? 4. ¿Qué constituye un verdadero despilfarro? 5. ¿Qué no le interesa a Camba de una manera especial? 6. ¿Qué no es en sí una cosa del otro jueves? 7. ¿A cuánto salían antes las pulmonías auténticas? 8. ¿Qué facilidades tenía el público para pagar las pulmonías? 9. Aun así, ¿qué era lo mejor?

10. ¿Qué hizo la penicilina? 11. ¿Qué van a perder las pulmonías dentro de poco? 12. ¿Qué va a ganar el resfriado? 13. ¿Qué hará la ciencia poco a poco? 14. ¿De qué vamos a morirnos todos, inevitablemente, un día? 15. Hasta ahora, ¿qué es lo que no ha llegado a desarrollar todas sus posibilidades?

16. ¿Cuántos días de trabajo se perderán debido al resfriado?
17. ¿Qué opinión tienen los médicos del resfriado?

16. EL SEGURO DE LAS CAMISETAS

1. ¿Qué se quita Clark Gable en la película *Sucedió una noche*? 2. ¿En qué año se estrenó *Sucedió una noche*? 3. ¿Qué ocurrió a partir de esa fecha? ¿Con qué resultados? 4. ¿Por qué asistió menos gente a los cines? 5. ¿Qué les pasó a los empresarios? 6. ¿Qué es lo que Camba no comprende? 7. ¿Contra qué cosas está dispuesta a asegurarle a uno la empresa Lloyd's? 8. ¿Qué vendría a ser el seguro de las camisetas? 9. ¿Qué, al fin y al cabo, son todos los seguros?

10. ¿Cuánto apuesta Camba, fabricante de camisetas? 11. ¿Qué acepta, a su vez, el asegurador? 12. ¿Bajo qué circunstancias acierta Camba? 13. ¿Con quién sería más justo y más exacto plantear la apuesta? 14. ¿Qué significa el «sincamisetismo»?

17. UN EXPERIMENTO EN SOMBREROS

1. Qué mal se estaba tratando con hielo una muchacha en su hotel de Los Ángeles? 2. ¿Qué se vió obligada a hacer precipitadamente la muchacha de Los Ángeles? 3. ¿Qué hizo distraídamente? 4. Por fin, ¿de qué se dió cuenta? 5. ¿Qué le preguntaron sus compañeros de mesa? 6. ¿Qué parecen los sombreros de mujer? 7. Al día siguiente, ¿cómo salió a la calle la muchacha? 8. ¿Cómo reaccionó el público? 9. Al otro día, ¿qué se puso en la cabeza al salir a la calle?

10. ¿Qué otras cosas ensayó en los días sucesivos? 11. ¿Cuál fué su última tentativa? 12. ¿A qué conclusión llegó por fin? 13. ¿Cómo se definen los sombreros femeninos? 14. ¿En qué consiste el error general? 15. ¿En dónde sería preferible conseguir los sombreros?

18. EN LAS SOMBRAS DEL CINEMATÓGRAFO

1. ¿Qué le dice el hombre a la taquillera? 2. ¿Por qué no toma el hombre una entrada? 3. ¿Cómo reacciona la taquillera y qué hace? 4. Una vez enterado del caso, ¿qué hace el director? 5. Al apagarse la luz, ¿qué ocurre? 6. ¿Cómo está el teatro cuando se hace la luz otra vez? 7. ¿Qué sigue haciendo el marido, entretanto? 8. ¿Qué anunciaban las películas cuando Camba estaba en Nueva York? 9. ¿Cuánto costaba una docena de escalofríos durante aquella época?

10. ¿Quiénes frecuentaban el cine en Nueva York? 11. ¿Qué ocurría con los millonarios? 12. ¿Qué buscaba la gente en el cine? 13. ¿Qué ha pasado con las películas de *gangsters*? 14. ¿Qué sigue siendo el cine?

19. EN LA ÉPOCA DE LOS CUESTIONARIOS

1. ¿Qué le preguntaba al lector el *American Magazine* de marzo de este año? 2. ¿Qué significa una mayoría de respuestas negativas? 3. ¿Una mayoría de respuestas afirmativas? 4. ¿Cómo averiguan muchas personas en América si están contentas con sus empleos? 5. ¿Cómo llega uno a saber si le gusta el arroz con leche? 6. Según Camba, ¿cuándo es útil el cuestionario? 7. ¿Qué no le hace falta al criminal de la tertulia? 8. Si uno está contento con su empleo, ¿qué sabrá de sobra? 9. ¿Qué le parece a Camba esta época de los cuestionarios?

10. ¿Para qué no hace falta el psicoanálisis? 11. ¿Con qué intención ha planteado el *American Magazine* este problema? 12. ¿Qué es lo que todo el mundo sabe en cuanto a los empleos?

20. ESCUELAS DE ESPAÑOLISMO

1. ¿Son semejantes el español de París y el español de Londres? 2. ¿Quiénes, probablemente, son más españoles que

los españoles de Madrid? 3. ¿Qué viste mucho en Madrid? ¿En París o en Londres? 4. ¿Qué clase de españolismo cultiva el español de París o el de Londres? 5. ¿Quiénes conocen mejor a los españoles? 6. ¿Cómo se figuran los franceses al español? 7. Según Camba, ¿cómo acaba por ser uno? 8. ¿Cómo resulta el español de Paris? 9. ¿A qué se aficiona uno en París?

10. ¿Qué adquieren muchos muchachos catalanes y gallegos? 11. ¿En qué lugares aprende uno a bailar flamenco? 12. ¿De qué habla el español de Londres? ¿El de París? 13. ¿Qué torea el español de París? 14. ¿En dónde se españoliza el español? 15. ¿Cómo se figuran los españoles de España al español que reside en París? 16. ¿De dónde viene este concepto? 17. ¿Cómo se figuran al español de Londres? 18. ¿Contra qué protestan los españoles que no han abandonado España?

21. SOBRE LA CAMA

1. ¿Cómo son las camas francesas? ¿Y las inglesas? 2. ¿Qué desproporción hay entre los ingleses grandes y sus camas? 3. ¿Por qué se acuesta la gente en Inglaterra? 4. ¿Cuánto tiempo se queda en la cama? 5. ¿Cómo son las alcobas, aun en las mejores casas inglesas? 6. ¿Qué ocurre en una casa francesa? 7. ¿Cómo se encuentra un español en una cama francesa? 8. ¿Por qué no conviene elogiar las camas francesas en España? 9. Según Camba, ¿cuál es la base para juzgar a un pueblo?

10. ¿Qué nos indica la vista de una alcoba inglesa? 11. ¿Cuándo no se le ocurre a un inglés meterse en la cama? 12. ¿Por qué prefiere el inglés irse a la oficina? 13. ¿Dónde se encuentra la luz en una alcoba inglesa? 14. ¿Qué no se puede hacer desde la cama? 15. ¿Qué ha hecho mucho daño en Francia y en España? 16. ¿De qué manera duerme el inglés? ¿Cómo duerme el español? 17. ¿Por qué le gustan tanto a Camba las camas francesas? 18. Sin embargo, ¿por qué son preferibles para los españoles las camas inglesas?

22. EL DOCTOR FALTZ

1. ¿Cómo ha entablado Camba relaciones con el doctor Faltz? 2. ¿Por qué lee éste los artículos de aquél? 3. ¿Con qué motivo se enfadó el doctor Faltz? 4. ¿Qué cosas de oso, según Camba, tienen los alemanes? 5. ¿Cómo son los franceses? 6. ¿Qué no comprenden? 7. ¿Qué son los franceses según Schopenhauer? 8. ¿Cómo miran el alemán y el inglés al mono francés? 9. ¿Cómo lo consideran?

10. ¿Para qué vuelven los osos alemanes a Francia? 11. ¿Qué cosas han inventado los alemanes? 12. ¿Por qué se calan las gafas los alemanes? 13. ¿Qué quieren hacer unos osos alemanes? 14. Según Camba, ¿qué son los españoles? 15. ¿Cómo es el espectáculo que dan los españoles al mundo? 16. ¿Cómo se les engaña y qué van perdiendo? 17. ¿Qué les ponen a veces? 18. ¿Qué aguardan los españoles?

23. EN LA CASA DE FRAU GRUBE

1. ¿Cómo se instaló Camba en casa de Frau Grube? 2. ¿Dónde estaba situada la casa? 3. ¿Cómo acoge Frau Grube a sus huéspedes? 4. ¿Cuántas palabras españolas conoce? ¿Cuáles son? 5. ¿Qué retrato hay en el comedor de la casa? 6. ¿Cuántos años vivió Besteiro en casa de Frau Grube? 7. ¿Qué le dice la criada a Camba al traerle el desayuno? 8. ¿Qué han comido por primera vez los pensionados españoles en casa de Frau Grube? 9. ¿A qué vendrán los hijos de la presente generación española a Berlín?

10. ¿Qué otros retratos hay en las paredes de la casa? 11. ¿Cuál es la influencia de Frau Grube en los destinos de España? 12. ¿Cómo se explican las palabras alemanas en los periódicos españoles? 13. ¿Qué hace Frau Grube por la regeneración de España? 14. ¿En quiénes no cree Camba? 15. ¿Quién es la única esperanza de España?

24. EL BULEVAR

1. ¿Qué se dice en lugar de « París »? 2. ¿Cuándo llegó Camba a París por primera vez? 3. ¿Qué se decía en cuanto a los bulevares? 4. ¿Contra quiénes se indignaba Camba? 5. ¿Qué son todos los bulevares? 6. ¿Dónde vive todo París? 7. Qué justifican los cafés del bulevar? 8. ¿De qué son consecuencia las tiendas? 9. Para ser un perfecto *bulevardier*, ¿qué es lo de menos?

10. ¿Dónde se desarrolla la vida inglesa, la francesa y la española? 11. Contraste las calles de Londres y las de París. 12. ¿Qué clase de moral es la de los ingleses? ¿La de los franceses? 13. Después de dos vueltas por Leicester Square, ¿qué le dice a usted Camba? 14. ¿Para qué sería Camba capaz de ir de Londres a París? 15. ¿Qué vería pasar? 16. ¿Por qué perdería el tren? 17. ¿Cuál es la moral y la filosofía de París? 18. ¿Dónde triunfa el genio francés?

25. CUANDO SE ACABE EL CARBÓN

1. ¿Qué palabras terribles pronunciará un hombre un día? 2. ¿Cómo se quedará el auditorio? 3. ¿Cuándo, según los sabios, va a acabarse el carbón? 4. ¿En qué campo saben más los carboneros que todos los matemáticos del mundo? 5. ¿Qué decisión han tomado los carboneros? 6. ¿Qué dicen de su trabajo? 7. ¿Por qué se ha estremecido todo Londres? 8. ¿Qué clase de máquina es Londres? 9. ¿De qué son producto la actividad y la energía inglesas?

10. ¿Qué pone en marcha a los ingleses? 11. ¿Qué ocurre cuando se apaga la chimenea inglesa? 12. ¿Cuántas chimeneas dícese que hay en Londres? 13. ¿Qué indica una chimenea inglesa que no echa humo? 14. ¿Cómo se puede calcular la condición de los negocios de un inglés? 15. ¿A qué se debe la importancia de una huelga de carboneros en Londres? 16. Encendido el nuevo carbón, ¿qué ocurriría?

26. EL PUDDING DE LAS NAVIDADES

1. A estas horas, ¿qué hacen las muchachas en todas las casas de Londres? 2. ¿Qué se comen de vez en cuando? 3. ¿Qué le pasó a una de las muchachas el año pasado? 4. ¿Cuántas libras de pudding hará Londres durante estas Navidades? 5. ¿A qué son muy aficionados los ingleses? 6. ¿Cómo se introduce el pudding en el comedor de las casas de tono? 7. ¿Qué constituye la nota más alegre de la Nochebuena inglesa? 8. Para Camba, ¿cuál es la fiesta nacional inglesa? 9. ¿Para quiénes es esta fiesta?

10. ¿Dónde permanece todo el mundo? 11. ¿Qué ocurre en Soho y en Charlotte Street? 12. ¿Quién no falta en los bares de Soho? 13. ¿Por qué no comprenden los españoles la Nochebuena? 14. ¿Qué les falta a los españoles? 15. ¿Cómo se siente Camba ante las fiestas de *Christmas*?

27. LA CALVICIE ALEMANA

1. ¿Qué porcentaje de los alemanes de treinta años son calvos? 2. Aparentemente, ¿cómo nacen muchos? 3. ¿Dónde dícese que se dejan las cabezas por la noche y con qué objeto? 4. ¿De qué están llenas las cabezas abruptas y montañosas? 5. ¿Cómo podrían utilizarse las calvas? 6. En caso de guerra, ¿qué podrían hacer algunos? 7. ¿A cuánto alcanza la superficie craneana alemana? 8. ¿Qué métodos se han buscado para fertilizar esta superficie? 9. ¿Con qué compara Camba una cabeza alemana? 10. ¿De qué va a hablar Camba en otra ocasión?

28. LA LEVITA DEL HERR DIREKTOR

1. ¿Cuál es el papel de la levita en el café? 2. ¿A quién pertenece? 3. ¿Qué le pasa al portero cuando se introduce dentro de la levita? 4. ¿Qué ocurre con su mujer y con su hija?

5. ¿Quiénes, al parecer, se han metido también dentro de la levita? 6. ¿Por qué algunos no pueden abrocharse la levita? 7. ¿Qué impresión daba el portero que se la puso ayer? 8. ¿Cómo se cortan las levitas en Alemania? 9. ¿Qué le falta al portero para ascender a director efectivo?

10. ¿Por qué tendrá que esperar un año? 11. ¿Por qué ni se estira ni se encoge la levita? 12. ¿A quién se le atribuye el título de *Herr Direktor*? 13. ¿A quién le llaman director los parroquianos? 14. ¿Qué necesita el parroquiano a veces? 15. ¿Qué le presta el director a la levita? 16. ¿Cómo llevan los hombres la levita en Alemania?

29. MANERAS DE SER ESPAÑOL

1. ¿Cómo estaba vestido el hombre que se sentó a la mesa del autor? 2. ¿Cuál era su nacionalidad? 3. ¿De qué es cuestión, según nuestro hombre, el ser español? 4. ¿Cómo se es español de Suiza hacia el norte? 5. ¿Qué significa por ahí decir que un hombre tiene un tipo muy español? 6. Según el danés, ¿dónde es probable que abunde más el temperamento español? 7. ¿Qué decían algunas mujeres de Copenhague de cierto español? 8. ¿Qué confundían estas mujeres? 9. ¿Qué dicen algunas personas del danés?

10. ¿Cómo se puede ser más o menos español? 11. ¿Por qué no se puede ser más o menos de España? 12. ¿Qué clasificación de los hombres prefiere el danés? 13. ¿Cómo se ha clasificado a sí mismo? 14. ¿Dónde lleva su españolismo? 15. ¿A qué pequeño detalle no le da la menor importancia? 16. ¿Quiénes tienen todos los inconvenientes de ser españoles? 17. ¿Qué lenguas habla el danés? 18. ¿Cómo se fué el danés después de pagar su consumición?

30. EL FRACASO DEL TURISMO

1. ¿Por qué dice Camba que el turista es un hombre impermeable? 2. Describa usted un poco la relación del turista con

los pueblos y ciudades que atraviesa. 3. ¿Quiénes son superiores al turista para la comprensión de los diferentes países del mundo? 4. ¿Quién era Théophile Gautier? 5. Como espejo de la vida española de la época, ¿qué ventajas tiene el libro de Borrow? 6. ¿Con qué objeto ahorran dinero durante muchos años algunas familias norteamericanas? 7. ¿Qué cosas ven en sus viajes? 8. ¿Cuál es su visión de Europa después de tanto viajar? 9. ¿Cómo viajan muchas gentes en Inglaterra en estos días? 10. ¿Qué recomienda Camba que el viajero procure dejar en sus viajes?

31. GRANDES HOMBRES

1. ¿Con qué están llenas las provincias españolas? 2. ¿Qué serie de preguntas se hace Camba ante este fenómeno? 3. ¿Qué podrían hacer los grandes hombres en caso de necesidad? 4. ¿Qué les pasaría a los escultores en una huelga de grandes hombres? 5. ¿Cuánto trabajo había antes en España para los escultores? 6. Según Camba, ¿qué demuestra que en España no hay decadencia? 7. A falta de grandes hombres, ¿con qué se las arreglarían los escultores? 8. ¿Quién viene primero, el escultor o el grande hombre? 9. De entre los posibles grandes hombres, ¿cuál se elige ordinariamente?

10. ¿Qué tiene preparado el escultor? 11. ¿Qué es lo único que le queda por hacer? 12. ¿Por qué fué desechado el poeta local en cierta ciudad? 13. ¿Qué dijo el escultor que les haría con un ciego? 14. ¿Qué atributos tenía el tuerto? 15. ¿Qué se debe hacer para adquirir una personalidad algo estatuaria?

32. EL ACENTO

1. ¿Qué le pasó a Camba recientemente a bordo de un transatlántico? 2. ¿Cómo venía Camba? 3. ¿Qué sensación le producía su cabeza? 4. ¿A quién tomó Camba por una gran actriz? 5. ¿A qué se debía su manera de hablar? 6. ¿Qué

papeles hacían las niñas en la compañía? 7. ¿Qué no hacía una de ellas? 8. ¿Por qué se compadeció Camba de la infeliz? 9. ¿De qué clase de mudez se trataba?

10. ¿Por qué no la dejaban hablar? 11. ¿Qué cosa era imposible en la compañía? 12. ¿De qué región era la familia? 13. ¿Cuál de las dos niñas iba perdiendo el acento? 14. ¿Dónde se suponía que ocurría la acción de todas las comedias? 15. ¿Cómo tendría que expresarse la muda antes de poder hablar? 16. ¿Cómo le cuidaba su madre el acento? 17. ¿A qué atribuía la muchacha su falta de progreso? 18. ¿Qué hicieron los primeros amigos a quienes vió Camba? 19. ¿Por qué no quiere Camba hacer comentarios sobre el acento gallego?

33. EL TREN DE VILLAGARCÍA

1. ¿Qué empezó a hacer el gobierno provisional de la República? 2. ¿Qué hizo Hernán Cortés al llegar a Méjico? 3. ¿Dónde se encontraba Camba a la proclamación de la República? 4. ¿Qué declaró ser el objeto de su viaje? 5. ¿Cómo le acogieron en el puerto? 6. ¿Qué hacía Camba en Villagarcía de Arosa? 7. De pronto, ¿qué ruido se oyó? Descríbalo. 8. ¿Por qué no podía subir el tren la cuestecilla? 9. ¿En qué iba transformándose la impaciencia del público?

10. ¿Por qué empezó Camba a sentir remordimientos? 11. ¿Qué hicieron unos hombres cuando por fin llegó el tren? 12. ¿De qué se indignó el hombre de las grandes voces? 13. ¿Con qué se daba por enteramente satisfecho el señor republicano? 14. ¿Qué encontró Camba más tarde en Madrid? 15. ¿Qué cambios efectuaron los republicanos en la capital? 16. ¿Por qué no cambiaron el nombre del Royalty? 17. ¿De que fueron partidarios muchos republicanos?

34. GIMNASIA DE LATA

1. ¿A qué hora se despertaba Bermúdez todos los días? 2. ¿Qué hacía luego? 3. ¿Qué gritaba el profesor de la emisora?

4. ¿Qué aconsejaba después? 5. ¿Qué creía Bermúdez estar oyendo? 6. ¿Qué oía en realidad? 7. ¿A qué hora solía levantarse el profesor? 8. ¿Por qué se conservaba siempre en forma? 9. ¿Qué aprovechaba el profesor?

10. ¿Qué daba lo mismo? 11. ¿Cuál sería la reacción del público si viera lo muy a gusto que se encontraba el profesor a aquella hora? 12. ¿Qué teme mucho Camba?

35. HIDALGOS Y TROVADORES

1. ¿Cómo eran las ideas que tenían los franceses de los españoles? 2. ¿En qué provincia nació Julio Camba? 3. ¿Cómo pronuncia el francés el nombre de esta provincia? 4. ¿Es ésta una región de toreros? 5. ¿De qué región venían todos los españoles, según el francés? 6. De todos los españoles, ¿cuáles son los menos andaluces? 7. ¿Dónde vivía Camba? 8. ¿Qué ama muchísimo el francés? 9. ¿Dónde no hay olivos?

10. ¿Cuál es la vegetación de Madrid? 11. Para quitarse de encima a los trovadores, ¿qué hay que hacer? 12. ¿Quién viene a la defensa de los trovadores? 13. ¿Qué le gustaría mucho a la francesa? 14. ¿Cuáles son los trovadores que Camba trata con intimidad? 15. ¿Cómo se figura la muchacha que se visten los trovadores madrileños? 16. ¿Qué clase de sombrero y de calzón llevan los hidalgos de Madrid? 17. Según Camba, ¿de dónde son todas las bailarinas andaluzas? 18. Por fin, ¿cómo reacciona Camba ante toda esta extraña serie de preguntas?

36. EL DOMINGO INGLÉS

1. ¿Qué es lo más inglés de Inglaterra? 2. ¿Por qué se negaba cierto inglés a hablar francés los domingos? 3. ¿Cómo describía este idioma? 4. ¿A qué no se puede jugar los domingos? 5. ¿Cómo está la calle? 6. ¿Qué se oye? 7. ¿Qué idea le dan a uno las campanas inglesas? 8. ¿Qué le pregunta Mr. Nakamura a Camba? 9. ¿Qué hace Miss Wilson?

10. ¿Qué título tiene Mr. Tree en la casa de huéspedes? 11. ¿Qué hace Mr. Linsey en el fondo de la sala? 12. ¿Qué ocurre de cuando en cuando? 13. ¿Cómo se llama en español el periódico que lee Mr. Linsey? 14. ¿Cómo se explica que le mueva a la risa un periódico de esta clase? 15. ¿Cuántas veces ha reído esta mañana? 16. ¿Qué hay en la bandeja que lleva la muchacha? 17. ¿Qué haría ella si tuviese algo de imaginación? 18. Al subir a su cuarto, ¿qué hace Camba? 19. ¿De qué no está seguro? 20. ¿Qué impresión tiene?

37. TURISMO Y COLONIZACIÓN

1. ¿Cómo iban los ingleses por el mundo hace algunos años? 2. ¿Cómo lo miraban todo? 3. ¿Cómo se aburrían? 4. Describa usted la capacidad lingüística de los ingleses. 5. ¿Cómo solían pasar el tiempo? 6. ¿Qué cosas impusieron en toda Europa? 7. ¿Qué constituía la inadaptabilidad de los ingleses? 8. ¿Cómo desprecia el mundo el español? 9. ¿Qué distingue al orgullo del inglés?

10. ¿A qué no es adaptable el español? 11. ¿Qué forman los ingleses dondequiera que vayan? 12. ¿Qué forma el español? 13. ¿Por qué ha podido el turista inglés conquistar el mundo? 14. Para Camba, ¿qué ha sido siempre la colonización inglesa? 15. ¿Qué ocurría fatalmente con la llegada del inglés?

38. LA GRATITUD

1. ¿Cuándo estuvo Camba en Berlín? 2. Según Camba, ¿a qué asistirá con toda seguridad? 3. ¿Quién entra en un café de la Potsdamer Platz? 4. ¿Cuál es su intención al entrar en el café? 5. ¿Qué le gustaría que tocasen? 6. ¿Qué quisiera recordar el soldado? 7. ¿Cómo encontraban los hombres la luna de cartón? 8. ¿Qué produce la entrada del soldado? 9. ¿Qué se exalta?

10. ¿A quiénes representa el soldado? 11. ¿Qué dejan de

evocar las notas del *Deutschland über Alles*? 12. ¿Cómo se
llamaba la novia del soldado? 13. ¿Qué toca la orquesta en un
café de la Friedrichstrasse? 14. ¿Qué emoción producen en el
soldado las notas del vals? 15. Al entrar el soldado en este café,
¿qué hace la gente? 16. ¿De qué es víctima este pobre soldado?
17. ¿Qué le hizo Camba una vez a un amigo? 18. ¿Cómo
pagaba el amigo este servicio? 19. ¿Qué resultaba demasiado
fatigoso para los soldados?

39. PLUMAS DE AVESTRUZ

1. Antes de la primera guerra mundial, ¿cuánto costaba cada
pluma de avestruz en Londres? 2. Al alcanzar este precio tan
respetable, ¿a qué se dedicó toda la gente en Oudtshoorn?
3. ¿De qué están dotados los avestruces? 4. ¿Qué cosas
digieren los avestruces con facilidad? 5. Según Camba, ¿cuál
sería el cenit de esta capacidad? 6. ¿Cuántos avestruces llegó
a haber en el África del Sur? 7. ¿Contra qué se indignaban
muchas señoras? 8. ¿En qué categorías se podía dividir a estas
señoras? 9. ¿Qué las dejaba sin cuidado?

10. En cambio, ¿hacia qué sentían una gran piedad?
11. ¿Qué cosas niega Camba respecto al avestruz? 12. En
resumidas cuentas, ¿qué impresión le produce el avestruz?
13. ¿Cuál es la cuestión fundamental? 14. En último término,
¿cuál es el sino del avestruz?

40. MISS SMITH Y SUS PARRICIDAS

1. ¿Cuándo ocurrió el primer contacto de Camba con la
vida inglesa? 2. ¿Bajo qué condiciones residía Camba en casa de
Miss Smith? 3. ¿Cuáles eran las ventajas del estado de « invitado
pagante »? 4. ¿A qué clase social pertenecía Miss Smith?
5. ¿Qué significa la expresión « hilar delgado »? 6. ¿Cuánto
tiempo tuvo Miss Smith en observación a Camba? 7. ¿Qué
pasaba cuando Camba se sentaba a la mesa? 8. ¿Qué afirmaban

unos rumores muy insistentes? 9. ¿Qué no había nunca en los platos de Miss Smith?

10. ¿Qué pensaban ella y los suyos? 11. ¿Qué hecho deshonraría su casa? 12. ¿Por aquel entonces qué había ocurrido en la gran ciudad? 13. ¿Qué hacía el criminal cuando la policía logró dar con él? 14. Más tarde, ¿qué hacía el dueño de la casa? 15. ¿Cuándo y cómo reaccionó su hija? 16. ¿Qué no estaba dispuesta Miss Smith a pasarle a ningún parricida? 17. Enumere usted algunas de las cualidades del parricida ideal. 18. ¿Qué se ha puesto a hacer la *middle middle class* inglesa? 19. ¿En qué países pueden ser un objeto de censura las sopas? 20. ¿Para qué es esponjoso el pan?

41. LAS PROSAS IMAGINARIAS

1. ¿De qué se hizo cargo Clemenceau durante la primera guerra mundial? 2. ¿Qué paso dió en seguida? ¿Con qué resultado? 3. ¿Cómo venían saliendo los periódicos franceses desde el comienzo de la guerra? 4. ¿Por qué dejaron de venderse los periódicos? 5. ¿Cómo había conquistado Clemenceau gran parte de su reputación profesional? 6. ¿Qué profesión seguía Clemenceau? 7. ¿Por qué le habían admirado siempre las gentes? 8. ¿A qué atribuía el público la supuesta superioridad de los párrafos « blancos »? 9. ¿Qué publicó Clemenceau un día por todo editorial?

10. ¿Cómo lo recibió el público? 11. ¿Cómo reconstruía el público los párrafos en blanco? 12. ¿Qué constituía una mala faena para la prensa? 13. ¿Cuándo suele experimentar una gran decepción el lector? 14. Sin poder aprovecharse de los « blancos », ¿qué recurso le quedaba al pobre periodista de oposición? 15. ¿Para qué no estaba la opinión pública? ¿Por qué?

42. EL AMOR Y EL ARTRITISMO

1. ¿Qué hizo un día el solterón Bermúdez? 2. ¿Con qué apareció en el vestíbulo la señora de la casa? 3. ¿Qué le pre-

guntó a su marido? 4. A su vez, ¿qué le preguntó Bermúdez a su amigo? 5. ¿Qué le contestó éste? 6. ¿Por qué envidiaba Bermúdez a su amigo? 7. ¿En qué consistía la solicitud de la esposa? 8. ¿Cómo era la noche y cómo la proclamaba ella? 9. ¿Por qué se considera feliz a Bermúdez?

10. ¿Qué era en efecto? 11. ¿Qué hacían sus amigos para evitar la bronca doméstica? 12. ¿Con quiénes decían los amigos que cenaban? 13. Entretanto, ¿de qué se quejaba Bermúdez? 14. ¿Qué ocurrió a los seis meses? 15. ¿En qué fundaba Bermúdez su felicidad conyugal? 16. ¿Qué era para Bermúdez la sagrada institución del matrimonio? 17. ¿A qué están dispuestas las mujeres? 18. ¿Qué le preparan al hombre sin tardanza?

43. POSTALES VERANIEGAS

1. ¿Cómo se queda Madrid en el verano? 2. ¿Qué hacen los carteros? 3. ¿De dónde vienen las tarjetas postales? 4. ¿Qué trata de demostrar cada cual? 5. ¿Qué quiere hacer cada persona? 6. ¿Qué cosa no perdona el veraneante al amigo? 7. ¿Qué va a aumentar la envidia del hombre del llano? 8. Al llegar a la cumbre, ¿qué hace el turista? 9. ¿Cuántas tarjetas postales se distribuyeron en un solo día la semana pasada?

10. ¿Cómo estaban elegidas? 11. ¿Qué es lo que no confiesa nunca el veraneante? 12. ¿Qué clase de postales busca? 13. ¿Dónde recibe el amigo estas postales? 14. ¿Qué dice al leerlas? 15. ¿Qué supone Camba en cuanto a las postales distribuídas el otro día en Madrid? 16. ¿A quién es más frecuente que un señor envíe postales? 17. ¿A quiénes se invita a firmar las postales? 18. ¿Qué se prepara de esta manera? 19. ¿Qué se puede decir de la sinceridad del veraneante? 20. ¿Cuál es el afán del señor García, veraneante?

44. ZULOAGA

1. ¿Con quién cenaba Camba un día en Madrid? 2. ¿Qué invitación habían recibido los dos? 3. ¿Cuál no se decidía a

hacer el viaje? 4. ¿Qué idea tenía Zuloaga de Lima? 5. Por aquellos días, ¿adónde tenía que irse Zuloaga? 6. ¿Por qué tardó Pizarro tanto en llegar al Perú? 7. ¿Cuánto tarda uno hoy en ir del Atlántico al Pacífico? 8. ¿Qué, según Zuloaga, eran los perforantes? 9. ¿Cómo duerme todo el mundo en Lima?

10. ¿Qué es lo que a Camba nunca se le ocurrió? 11. ¿Qué ha lidiado Zuloaga muchas veces? 12. ¿Qué le había pasado a cierto peruano con los perforantes? 13. ¿Cómo admitió Camba la existencia de los perforantes? 14. ¿Qué es lo que no concebirá Zuloaga una vez en el Perú? 15. ¿Cómo dice Camba que va a reaccionar aquél ante un indio? 16. Según Zuloaga, ¿cuántos indios hay en el Perú? 17. ¿Qué efecto posible ha tenido en aquel país una excesiva civilización? 18. ¿Qué sensación tuvo Camba por un momento? 19. ¿Cómo tuvo Camba que arreglárselas?

45. NUEVO CONCEPTO DE LA MUJER FATAL

1. ¿Dónde entra la estrella de cine? 2. ¿Quiénes la acompañan? 3. ¿Qué efecto produce su entrada? 4. ¿Cómo se manifiesta esto en las acciones de los hombres? 5. ¿Cuánto tiempo pierde cada obrero? 6. ¿Qué representa esto en una planta de quinientos operarios? 7. ¿Qué relación hay entre la visita de la estrella y el consumo de fideos? 8. ¿Con qué no se conforman jamás los hombres de este país? 9. ¿A qué aspiran todos ellos?

10. ¿En qué imperiosa obligación se consideran? 11. ¿De qué se ha hablado mucho ya? 12. ¿Qué no se ha estudiado? 13. ¿Qué hacen los técnicos que acompañan a la artista de cine? 14. ¿Qué hace ella? 15. ¿Por quién renunciaría Camba a todo un mes de sopa de fideos?

46. LA BOHEMIA

1. Para Camba, ¿qué mentalidad es la más rutinaria del mundo? 2. ¿Cuál es una de las más grandes preocupaciones?

3. ¿Qué le parece perfectamente legítimo a Camba? 4. En cambio, ¿qué es lo que no entiende? 5. ¿A qué hora tienen los bohemios el derecho de acostarse? 6. ¿Cómo pierden los bohemios la libertad de que alardean tanto? 7. ¿Qué despreocupación tenía antes el bohemio? 8. ¿Qué hizo con ella luego? 9. ¿Qué hace el bohemio hoy día antes de salir a la calle? 10. ¿Cómo miraba la bohemia el dinero en otras épocas? 11. ¿Qué le permitía esta actitud? 12. ¿Qué es lo único que ya le parece artístico? 13. Según la opinión de Camba, ¿qué ha confundido la bohemia?

47. UN CUMPLEAÑOS

1. ¿Cuántos años acaba de cumplir Julio Camba? 2. ¿De qué son consecuencia los hombres de setenta años? 3. ¿Qué constituyen? 4. ¿Qué le parecían a Camba en su juventud los hombres de setenta años? 5. ¿Cómo es posible que hayan venido al mundo? 6. ¿Por qué dice Camba que la palabra septuagenario es fea? 7. ¿Qué espera llegar a alcanzar? 8. ¿Cuál de los tres amigos se conserva mejor? 9. ¿Por qué no tiene barbas Camba?

10. ¿De qué disfruta Camba? 11. ¿Qué podría hacer en la China? 12. ¿Por qué no lo haría en Madrid? 13. ¿Qué es mejor que vaya pensando en esta época? 14. ¿Qué clase de sastres faltan en el mundo?

Remarks on Camba's style

Camba's language presents few grammatical difficulties. It recommends itself to the student of Spanish particularly because of the way it effectively bridges the gap separating the realities of the every-day, highly figurative spoken language, and the recognized standards of first-class contemporary prose.

In lieu of grammatical footnotes, the student is aided in a number of linguistic problems through translations included in the vocabulary. In addition, his attention is called to the following points, particularly characteristic of the author's style.

In the question of object pronouns he not infrequently uses *la* and *las* as either direct or indirect objects, a practice which, although censured by grammarians, is very widespread in northern and central Spain. He uses *lo* and *los* interchangeably as direct objects for both persons and things, following a long-established practice in both the written and spoken language of southern Spain and of Spanish America (where, in Argentina, Camba may first have become familiar with it), whereas in northern Spain the use of *le* and *les* for persons is still firmly adhered to. Like certain other modern writers he occasionally uses *le* as an indirect object plural, censured as this practice is by all responsible authorities. His writing also reflects a number of modern tendencies in the written and spoken language, now accepted or in the process of rapid acceptance, but slow to be recognized by the student's ordinary grammatical handbooks. Among such are the increasing use of adjectives as adverbs, and examples of alternation and competition among the forms of the imperfect subjunctive.

His prose shows the spreading use of the *-ra* form of the imperfect subjunctive at the expense of the *-se* form in the *if* clause of contrary-to-fact and future-less-vivid (should-would) conditions (the latter, in Camba's case, possibly an example of Galician influence). But, perhaps most striking is his use of the *-se* form of the imperfect subjunctive in the *result* clause of such sentences, where the *-ra* form or, more commonly, the conditional might be expected. He occasionally also uses the *-se* form of the imperfect subjunctive for the pluperfect indicative where other writers might use the well known archaic *-ra* form.

This hesitancy and variation in the forms of the imperfect subjunctive in not uniquely peculiar to Camba's style; rather it reflects a transitory phase through which the language is passing, and where no general uniformity of practice is yet in sight.

VOCABULARY

NOTE

Not included in the vocabulary are: most past participles of listed verbs; most adverbs in **mente**, when the adjectives from which they are derived appear; common numerals; many words of identical spelling in Spanish and English; a few words fully defined in context; certain familiar geographical designations and easily recognized proper nouns.

Where gender signs do not appear, nouns in **o** and **ón** are masculine; those in **a, ad, ud, ez, umbre** and **ión** are feminine.

ABBREVIATIONS

affec.	affectionate	*Lat.*	Latin
aux.	auxiliary	*m.*	masculine
e. g.	for example	*n.*	noun
f.	feminine	*part.*	participle
Fr.	French	*pl.*	plural
Ger.	German	*pres.*	present
i. e.	that is	*prop.*	proper
impers.	impersonal	*q. v.*	which see
inf.	infinitive	*Rom. ant.*	Roman antiquity
It.	Italian	*var.*	variant

VOCABULARY

a to, at, in, by, with, for; **a los seis meses** at the end of six months; **a los dos meses de proclamada la República** two months after the Republic was proclaimed

abajo down, below

abandonar to abandon

abasto supply; **dar abasto** to be sufficient

A B C illustrated daily newspaper of Madrid

aberración aberration

abierto, -a open, opened

abismo abyss

ablución ablution, cleansing (*as a religious rite*)

abogado lawyer

abolir to abolish

abonar to pay

abrir(se) to open; to whet (*the appetite*); **abrírsele a uno el apetito** to get an appetite

abrocharse to button

abrupto, -a abrupt; rough

absolutamente absolutely

absorber to absorb

abstenerse (ie) (de) to refrain (from)

absurdo, -a absurd

abundante abundant

abundantísimo, -a very abundant

abundar to abound

aburrimiento boredom

aburrir to bore, weary; **aburrirse (con, de)** to get bored (with)

acá here; **¿de cuándo acá?** since when?; **más acá** here closer

acabar to finish; to exhaust; **acabar de** + *inf.* to have just; **acabar por** to end by; **acabarse** to come to an end; to be exhausted

academia academy

académico academician

acaparado, -a monopolized; seized

acaso perhaps

acatarrado, -a suffering from a cold

acaudalado, -a well-to-do

accidental acting, pro tem

accidente *m.* accident

acción action; share (*of stock*)

accionista *m. & f.* stockholder

acechar to watch, lie in wait for

aceite *m.* oil, olive oil

acento accent

acentuar to accent

aceptar to accept

acerca de about, concerning

acercarse a to approach

acérrimo, -a very harsh, very strong

acertar (ie) to hit the mark; **acertar a** to succeed in

aclarar to explain

acoger to welcome, accept

acogida welcome, reception

acometividad agressiveness

acomodador *m.* usher

acomodo job

acompañar to accompany

aconsejar to advise, counsel

acontecimiento happening, event

acordarse (ue) (de) to remember

acosado, -a harassed, vexed; **acosado a preguntas** besieged with questions

acostarse (ue) to go to bed

acostumbrado, -a used to; usual

acostumbrarse to become accustomed, get used to

acreditar to give a reputation to; **acreditarse de** to get a reputation as

acrimonia acrimony

acritud *var. of* **acrimonia**

actitud attitude

actividad activity

activo, -a active; **en activo** in active service

acto act; **en el acto** at once

actriz *f.* actress

actual present-day, of the present time

actualidad present time; timeliness

actualmente at the present time

acuerdo agreement, accord; **de acuerdo (con)** in accord (with) **ponerse de acuerdo** to come to an understanding

acullá over there

achacar to impute

achaque *m.* sickliness; weakness

achicado, -a made smaller; humbled, disconcerted

adaptar to adapt, fit

adelantar to move forward

adelanto advance

ademán *m.* attitude; gesture

además besides, moreover

adenoides *m. pl.* adenoids

adicto, -a devoted

administrar to administer, give

administrativo, -a administrative

admirar to admire

admitir to admit

adonde where, whither

¿adónde? where?, whither?

adondequiera anywhere, wherever

adoptar to adopt

adormecer to put to sleep

adornar to adorn

adorno adornment

adquirir to acquire

adúltero, -a adulterous

advenimiento advent, coming

advertir (ie, i) to notice

aeroplano aeroplane

afán *m.* eagerness, strong desire

afanoso, -a hard-working

afección affection; disease

afición liking, fondness

aficionado, -a devoted, fond; *n.* fan, devotee

aficionarse a to become fond of

afirmación affirmation

afirmar to affirm, assert

afirmativo, -a affirmative

afligir to afflict

afluencia influx, crowd

afortunadamente fortunately

afrancesado,-a Gallicized, Frenchified

África: el África del Sur South Africa

Aga Khan III (*1877-1957*) *head of Ismailian Mohammedans*

ágil agile

agilidad agility

agotar to exhaust, use up

agradable agreeable

agradar to please

agregar to add

agua water

aguantar to endure, tolerate

aguardar to await

agujas *f. pl.* railway switch; **entrar en agujas** to pull into the station

ahí there; **de ahí** hence, therefore; **de ahí que** for this reason, with the result that; **por ahí** around there

ahogarse to suffocate

ahora now; **ahora bien** now then

ahorrar to save

ahorros *m. pl.* savings

aire *m.* air; aspect, look; **al aire** in the air; **imprimir un aire cordobés a su sombrero** to set his hat at a tilt

aislado, -a isolated

ajenjo absinthe

ajeno, -a foreign

ajustar to fit, adapt

al (a + el); **al** + *inf.* on, upon ... -ing

alado, -a winged

alambre *m.* wire

alameda tree-lined walk, mall

alardear to boast

alargar to stretch

alarma alarm
alarmar to alarm
Alcalá Zamora, Niceto (*1877-1931*) *Spanish liberal politician, first president of the Spanish Republic* (*q. v.*)
alcance: al alcance de within reach of
alcanzar to reach, attain
alcoba bedroom
alcohólico, -a alcoholic
aldea village
alegre happy, joyful, gay
alegría joy, delight
alejado, -a distant, removed
Alejandro Alexander
alemán, -a German; *n.* German; *m.* German language
Alemania Germany
Alfonso Alphonso; **Alfonso XII** *king of Spain* (*1874-1885*); **Alfonso XIII** *king of Spain* (*1886-1931*)
algo something, somewhat, a little; **algo así como** something like
algodón cotton
alguien somebody, someone
algún, alguno, -a some, any, someone; any at all (*after a negative*); **algunos, -as** a few
alimentar to nourish, feed
alimenticio, -a nourishing, nutritional
alma soul; **alma de Dios** poor fellow; kind, guileless person; **Alma** *prop. n.*
almacén *m.* store
almeja clam
almohada pillow; **consultar con la almohada** to sleep a thing over, mull it over in bed
alojamiento lodging; quarters
alojarse to be lodged
Alpenrose *an inn in the Tyrol*
alquilar to rent
alrededor around; **alrededor de** around, about; more or less; **alrededores** *m. pl.* outskirts

alternativamente alternately
alto, -a high, tall; **alta comedia** *realistic drama of the second half of the 19th century, satirizing Spanish contemporary social customs*
altura altitude; point, stage
allá there; **más allá** farther; **más allá de** beyond
allí there
amable amiable, kind
amaestrado, -a trained
amamantar to nurse
amanecer to appear; to start the day; **al amanecer** at daybreak; *m.* dawn
amante fond, loving; *m. & f.* lover, sweetheart
amar to love
amarillear to become yellow
amarillo, -a yellow
ambiente *m.* atmosphere
ambiguo, -a ambiguous
ambos, -as both, the two
amenaza threat
América America; (as used by Camba) the United States
americano, -a American; *n.* American; (as used by Camba) North American, Yankee; *f.* sack coat
ametrallador: fusil ametrallador machine gun
amigo, -a friendly; *n.* friend
amistad friendship
amo master
amor *m.* love
amordazado, -a muzzled
amore *It.* love
amplio, -a ample, roomy
amplitud roominess
anacronismo anachronism
análogo, -a analogous
anciano, -a aged; ancient; *n.* old person
anchura width
Andalucía Andalusia (*southern part of Spain*

andaluz, -a Andalusian; *n*. Andalusian
andar to walk; to be; *m*. walk, gait
andén *m*. railway platform
anestesia anesthesia
anestesiar to anesthetize
ángulo angle
angustioso, -a worrisome
anillo ring
animar to encourage; impel
anonadar to overwhelm; to humiliate
anónimo, -a anonymous
ante before, in the presence of; **ante todo** first of all, above all
anterior former, previous
antes (de, que) before
antibiótico antibiotic
anticipado: **por anticipado** in advance
anticipar to anticipate
anticuado, -a antiquated; outmoded
antieconómico, -a financially unproductive
antiguo, -a former
antipatía dislike
antojarse to imagine; **antojársele a uno** to take a notion to, occur to one
antojo whim; **a mi antojo** as I please
anual annual
anunciador, -a advertising
anunciar to announce
anuncio advertisement
añadir to add
año year; **cumplir ... años** to be ... years old, attain the age of
apagar to extinguish
aparecer to appear, show up; **aparecérsele a uno** to impress, strike one
aparentemente apparently
apariencia appearance; **salvar las apariencias** to keep up appearances, save face

apartado, -a removed, secluded
apartar to separate; to push aside
apasionado, -a passionate
apenas scarcely, hardly; **apenas si ha dejado vestigios** it has scarcely left any traces
aperitivo aperitif, appetizer
apetecido, -a longed for
apetito appetite; **abrírsele a uno el apetito** to get an appetite
aplicar to apply
aportación contribution
apostar (ue) (a que) to bet (that)
apoyarse to be based; **en la que se apoya entera** on which rests entirely
aprender to learn
apropiarse to appropriate
aprovecharse de to make use of, profit by, take advantage of
apuesta bet
apurado, -a hard up
aquel, aquella that; **aquellos, aquellas** those; **aquél, aquélla** the former
aquí here; **de aquí** hence; **he aquí** here you have, behold; **por aquí** around here
árabe Moresque
Araquistain, Luis (*1886-1959*) *Spanish political writer and essayist*
árbitro arbiter
árbol *m*. tree
arcaísmo archaism
ardite: **no les importaba un ardite** they didn't care a rap
Arenal, Concepción (*1820-1893*) *Spanish sociologist and publicist*
argentino Argentinian
argumento argument
árido, -a arid
armario wardrobe
armonía harmony
armonizar to harmonize
arquitectónico, -a architectural
arquitectura architecture
arrancar to snatch

arrebatar to move, captivate
arredrar to frighten
arreglar (se) to arrange, adjust; to conform; **arreglárselas** to get along, manage
arreglo arrangement; **con arreglo a** according to
arremangado, -a turned up
arriba up, upward; above; **arriba de** above, in excess of
arriesgar to risk
arroz *m.* rice
arruinar to destroy; **arruinarse** to be destroyed, go to ruin
arte *m. & f.* art
articulista *m. & f.* writer of articles
artículo article
artillería artillery
artista *m. & f.* artist
artístico, -a artistic
artritismo rheumatism
asaltar to strike one suddenly, occur to one
ascender (ie) to ascend
ascensión ascent
ascensor *m.* elevator
asegurado insuree
asegurador, -a insuring, underwriting; *n.* insurer, underwriter
asegurar to assure; to insure
asemejarse a to resemble
asepsia asepsis
asesinar to murder
asesinatillo routine murder
asesinato murder
asesino murderer
así thus, like that; **así como** just as, in the same way, something like
asiento seat
asimismo likewise
asistir a to be present at, attend
asmático, -a asthmatic
asociación association
asomar (se) to begin to appear, show

asombrado, -a astonished
aspecto aspect, appearance
áspero, -a rough, harsh
aspiración aspiration; inhalation
aspirar to aspire; to inhale
astro star
asumir to assume
asunto subject, matter, affair
asustarse to be *or* become frightened
atacar to attack
Atahualpa *last Inca king of Peru, strangled in 1533 on order of Pizarro (q. v.)*
atar to tie
ataviar to dress, trim, adorn
atención attention
atendido, -a attended
ateneo literary *or* scientific club; **Ateneo científico, literario y artístico** *important center of literary and intellectual activities and, at different periods, of liberal political influence*
atenerse (ie) a to depend on, rely on
atentado assault; crime
aterrador, -a terrifying
aterrarse to become terrified
Atlántico: el Atlántico the Atlantic
atracador *m.* holdup man
atracción attraction
atractivo, -a attractive; *m.* attraction
atraer to attract
atrás back, backward; behind; previously; **días atrás** a few days ago; **hacerse atrás** to fall back
atravesar (ie) to cross
atreverse (a) to dare, venture
atribuir to attribute
atributo attribute
atrozmente enormously
atusar to smooth (*the hair with hand or comb*)
audacia audacity

audaz daring
auditorio audience
augusto, -a august
aumentar to increase
aumento increase; **ir en aumento**
  to be on the increase
aun, aún still, yet, even
aunque although
aurora dawn
ausencia absence
austero, -a austere
auténtico, -a authentic
auto: **auto de fe** auto-da-fé, execution of a heretic by the Inquisition
automático, -a automatic
automatismo automatism
automóvil *m.* automobile
autor *m.* author
autora authoress
autoridad authority
autorizar to authorize, permit
avance *m.* advance
avanzar to advance
avenida avenue
avenirse **(ie, i)** to agree to, be reconciled to
aventura adventure
avergonzarse de to be ashamed of
averiguación ascertainment
averiguar to find out
avestruz *m.* ostrich
aviación air corps
aviado: **estar aviado** to be in a jam
aviejarse to grow old
avisar to warn
axioma *m.* axiom
ay (*pl.* **ayes**) *m.* sigh, exclamation of grief
Ayacucho *Peruvian city in province of Huamanga ; site of definitive victory of general Antonio José de Sucre (q.v.) over the Spanish forces in 1824*
ayudar to aid
Azcárate, Gumersindo (*1840-*

1917) Spanish sociologist, educator and reformer
azorarse to become upset
azúcar *m.* sugar; **azúcar de remolacha** beet sugar
azucarero, -a (pertaining to) sugar
azul blue

Babbitt *a novel (1922) by Sinclair Lewis (q. v.)*
bailar to dance; **bailar flamenco** to dance in **flamenco** fashion
bailarín *m.* dancer
bailarina dancer
baile *m.* dance
bajar to lower; to descend
bajo, -a low, lower; short
balcón balcony, window
baldío, -a untilled, uncultivated
balneario spa, watering place
bálsamo balm
Bal Tabarin *a Parisian cabaret*
banca banking
bandada flock
bandeja tray
banderilla small barbed dart used in bullfights; **banderilla de fuego** banderilla with firecrackers attached to shaft; **han tocado a banderillas** they have sounded the bugle for the **banderillas**
banderita banderole
bar *m.* bar, barroom
barato, -a cheap
barba beard, whiskers; **dejarse las barbas** to grow a beard
bárbaro barbarian
Barcelona *seaport city on the northeastern coast of Spain*
barco ship, boat
barrera wooden barrier *or* fence around inside of bull ring; first row of seats
barriga belly
barriguita tummy
barrio quarter, suburb

base *f.* basis, base

bastante considerable, enough; fairly, rather considerably; **lo bastante** sufficiently

bastar to be sufficient

bastidores: entre bastidores from the wings; behind the scenes

bastón cane

basura rubbish

batalla battle

beber to drink

bebida drink

belleza beauty

bello, -a beautiful

bendecir (i) to bless

beneficio profit

berlinés, -a (pertaining to) Berlin

berro water cress

besar to kiss

Besteiro, Julián (*1870-1940*) *leader of the Socialist party and professor of logic at the University of Madrid*

Biarritz *French watering place in the department of Basses-Pyrénées*

biberón nursing bottle

Biblia Bible

bíblico, -a Biblical

bien well, very, indeed, quite, rather; **ahora bien** now then; **bien ... bien** either ... or; **bien que mal** one way or another; **más bien** rather; **no bien** as soon as

bienaventurado, -a blessed

bienhechor, -a beneficent

Bilbao *important seaport and industrial city of northern Spain*

bilioso, -a bilious

billar *m.* billiards

billete *m.* ticket; **billete circular** tour ticket with stopover privileges

biológico, -a biological

bizantino, -a Byzantine

bizcocho sweet, soft biscuit; ladyfinger

blanco, -a white; *m.* blank, blank space; **en blanco** blank

blandir to brandish

blindado, -a armored

boca mouth

bofe: echar el bofe to strive, work hard

bohemia Bohemianism

bohemio Bohemian

bolsa bag; stock exchange

bomba bomb

bombilla light bulb; **la Bombilla** *district in Madrid known for its popular restaurants, taverns and dance establishments*

Bombita chico *professional name of* **Ricardo Torres Reina,** *Spanish bullfighter who retired in 1913*

bonito, -a pretty

bordo: a bordo on board

borrascoso, -a stormy

borroso, -a blurred

Borrow, George (*1803-1881*) *English author, linguist and traveler*

bota boot, shoe

botella bottle

botijo earthen jar with spout and handle

bovino, -a bovine

boxeador *m.* boxer

boxeo boxing

Bozener Strasse *street in Berlin*

brazo arm

brevedad brevity

brevemente briefly

brillante brilliant

británico, -a British

bronca dispute, quarrel

bronce *m.* bronze

brotar to sprout; to spring

bruñido, -a polished

brutalidad brutality

bruto, -a brute; stupid; rough; *m.* brute

buen, bueno, -a good

buenamente easily, freely

Buena Nueva: bulevar de la

Buena Nueva = *Boulevard Bonne-Nouvelle* (*a boulevard in Paris*)
bufanda scarf, muffler
bulevar *m.* boulevard
bulevardier = *boulevardier Fr.* frequenter of the boulevard, man-about-town
Bullier former Parisian dance hall
Burdeos *f.* Bordeaux
Burgos *m. city in Old Castile*
burgués, -a middle-class
busca search
buscar to search, look for
busto bust, chest

caballería cavalry
caballero gentleman
caballeresco, -a chivalric, chivalrous
caballo horse
cabaret *m.* cabaret, night club
caber to be contained, go into, fit; **no cabe duda** there's no doubt; **no quepo** I can't get in (it)
cabestrillo sling
cabeza head; **sacar cabeza** to get one's head above water; to save oneself; to distinguish oneself; **sentar cabeza** to settle down
cabo end; **al cabo (de)** at last, at the end (of); **al fin y al cabo** after all
cabriola caper, somersault
cacahuete *m.* peanut
cada each, every; **cada cual** each one
cadena chain
caer to fall; to be located; **caer en** to be found in
café *m.* coffee; café; **café con leche** café au lait, coffee with milk
Cairo: El Cairo Cairo
cajetilla pack (*of cigarettes*)

cajón large case, box
calañés: sombrero calañés Andalusian hat with narrow, turned-up brim
calarse: calarse las gafas to put on one's glasses
calculador, -a calculating
calcular to reckon
cálculo calculation
caldo broth
caliente hot; **bien caliente** good and hot
calificar to characterize
calificativo designation, epithet
calma calm
caló *m.* Gypsy argot
calor *m.* heat, warmth
calorcito snug warmth
calva bald spot
calvicie *f.* baldness
calvo, -a bald
calzado: bien calzado wearing good footwear
calzones *m. pl.* trousers; **calzón corto** knee breeches
Callao: El Callao *chief seaport of Peru*
calle *f.* street
callejero, -a (pertaining to the) street, fond of walking the streets
cama bed
cámara camera
camarada *m.* companion
camarero waiter
cambiano, -a (pertaining to) Camba
cambiar to change, exchange; **cambiar de** to change (*clothes, etc.*)
cambino, -a = **cambiano, -a**
cambio change; **a cambio de** in exchange for; **en cambio** on the other hand
camelot Fr. street hawker, newsboy
camino road
camisa shirt

camiseta undershirt
camita tiny bed
campana bell
campanada stroke of a bell
campaña campaign
campo field
canario canary
canasto hamper
canguro kangaroo; **canguro pugilista** boxing kangaroo
cansadiño, -a *affec.* all tired out
cansado, -a tired
Cantábrico *northern coast of Spain*
cantante *m. & f.* singer
cantar to sing
cantidad quantity, amount
capa cape
capacidad capacity
capaz capable
capital *m.* capital; *f.* capital city
Capuchinos: **bulevar de los Capuchinos** = *boulevard des Capucines* (*a Parisian boulevard*)
cara face
carácter *m.* character
caracterizar to characterize
carambolas *f. pl.* caroms (*a form of billiards*)
carbón coal
carbonero coal miner
carbonilla coal dust, cinders
carcomido, -a worn away
carecer de to lack, be in need of
cargamento cargo
cargar to load, burden; **cargar con** to pick up, carry
cargo job, post, position; **hacerse cargo de** to take charge of
carne *f.* meat, flesh
carnero sheep; **no hay tales carneros** there's no truth to it
caro, -a expensive
carrera career
Carrere, Emilio (*1880-1947*) *Spanish modernist poet*
carro cart, wagon; car
carta letter; playing card

cartel *m.* placard
cartero letter carrier
cartón cardboard; cardboard box; **cartón piedra** papier-mâché
Caruso, Enrico (*1873-1921*) *famous Italian tenor*
casa house, home; firm; **casa de comida(s)** eating house; **casa de huéspedes** boarding house; **casa de juego** gambling house
casadero, -a marriageable
casado, -a married
cascarón eggshell
casco skull; helmet
casero, -a homemade; domestic; *m.* landlord
casi almost; **casi casi** very nearly
casino casino; social club
caso case; situation, circumstance; **caso perdido** hopeless case; **creerse en el caso de** to feel oneself obliged to; **en caso afirmativo** such being the case; **en cuyo caso** in which case; **en todo caso** at all events; **en un caso dado** in a given instance; **es caso de** it's a question of; **hacer caso (de)** to take into consideration, pay attention (to); **pongamos por caso** let's take as an example
casta caste
castañuela castanet
Castelar, Emilio (*1832-1899*) *Spanish writer, famous orator and politician; president of the first Spanish Republic*
castigador *m.* lady-killer
castigar to chastize; to incite, " needle "
casualidad chance, coincidence; **dar la casualidad** to so happen; **por casualidad** by chance
catalán, -a Catalonian; *n.* Catalonian
Cataluña Catalonia (*formerly autonomous region of northeastern Spain*)

catarro head cold
catástrofe *f.* catastrophe
catastrófico, -a catastrophic
catedral *f.* cathedral
catedrático university professor
categoría category, rank, condition
catequización catechization, religious instruction
causa cause, reason; **a causa de** because of
Caxamarca *province of northern Peru*
cazar to catch
ceder to yield
celebrar to welcome
celoso, -a jealous
cementerio cemetery
cena supper
cenar to have supper
cenit *m.* zenith
censura censure; censorship
centavo cent
centenar *m.* hundred
centenario centennial
centímetro centimeter
centro center
ce que vivent les roses from the 17th century French poet Malherbe's « **Consolation à M. du Périer** » *on the death of his daughter ;* « *Et rose, elle a vécu ce que vivent les roses, l'espace d'un matin* », «*And a rose, she lived as long as they, a morning's span.*»
cera wax
cerámica ceramics
cerca near; **cerca de** near, near to; **de cerca** at close range
cerrar (ie) to close
cerro hill; **Cerro de los Ángeles** *an elevation near Madrid*
cerveza beer
cesar (de) to cease, stop
ciego blind man
cielo sky, heaven
cien, ciento one hundred; **por ciento** per cent

ciencia science, knowledge
científico, -a scientific
cierto, -a certain, a certain; sure, true; **por cierto (que)** certainly, of course
cigarrillo cigarette
cigarro cigar; **cigarro puro** cigar
cima height
cine *m.* movie, movies
cinematográfico, -a motion-picture, movie-like, (pertaining to the) cinema
cinematógrafo motion-picture theatre
cintura waist
circense (pertaining to the) circus
circulación circulation
circular to circulate
circunstancia circumstance
cirujano surgeon
citar to cite
ciudad city
ciudadano citizen
civilización civilization
claro, -a clear; **a las claras** clearly; **claro está** to be sure, of course; **claro que** naturally
clase *f.* class, kind
clasificación classification
clasificar to classify
clavar to nail, drive
Clemenceau, Georges (*1841-1929*) «*The Tiger,*» *French statesman*
clientela clientele
clima *m.* climate
cloroformización chloroforming
cloroformizar to chloroform
cloroformo chloroform
cobarde cowardly; *m. & f.* coward
cobardón, -a timid, cowardly; *n.* big coward
cobrar to charge
cocido olla, Spanish stew
cocina kitchen; cuisine
cocinero cook
coche *m.* carriage, coach, car
cochero coachman, driver

codazo poke with the elbow
codicia greed
coger to gather, collect
coincidente coincident
coincidir to coincide; **coincidir con** to find oneself with
colchón mattress
colección collection
colectividad group; community
colectivo, -a collective
colegio college; **Colegio de Francia** = *Collège de France* (*autonomous educational institution established in the 16th century by Francis I*)
colocación position, job
Colón, Cristóbal Christopher Columbus
colonia colony
colonización colonization
columna column
combate *m.* combat, struggle
combinar to combine
comedia comedy; **alta comedia** *realistic drama of the second half of the 19th century, satirizing Spanish contemporary social customs*
comedor *m.* dining room
comentario commentary
comenzar (ie) to begin; **se hubiese comenzado** one would have begun
comer(se) to eat
comercial commercial, (pertaining to) business
comerciante *m.* merchant
comercio commerce, business
cometer to commit
comico, -a comic
comida eating, food, meal, dinner
comienzo beginning
comilona big meal; **hacer una comilona** to have a big spread
comisionista *m.* commission merchant
como as, like; since; when; **así como** just as, in the same way, something like; **como si** as though; **tal (y) como** just as; **tanto ... como** as much ... as; **y como advirtiese** and as he noticed; **y como bailarás de veras** and when you'll really dance
cómo how; **¿cómo?** how?, why?, what?, how!
cómodo, -a comfortable
compadecerse de to feel sorry for
compañera companion
compañero companion
compañía company
comparación comparison
comparar to compare
compensación compensation
competencia competition
complacencia complacency
complacer to please
complejo complex
completo, -a complete; **por completo** completely
complicación complication
compositor *m.* composer
compra purchase
comprar to buy
comprender to understand
comprendido, -a comprised, included
comprensión understanding
común common
comunista communistic
con with; in spite of *e. g.:* **con vivir más lejos** in spite of living farther away
concebir (i) to conceive, imagine
conceder to grant
concepto concept, opinion, idea
conceptual: en plena cuestión conceptual at the very principle of the matter
conciencia conscience
concluyente conclusive, convincing
concreto, -a concrete
condenar to condemn

condesa countess
condición condition, state
condicionar to condition
conducta conduct
confección confection, concoction
confesar (ie) to confess
confiar to entrust
conflicto conflict, struggle
conformarse to conform; to resign oneself; **conformarse con** to be content with
confortable comfortable
confrontación confrontation
confundir to confuse
confuso, -a confused
congraciarse to ingratiate oneself, curry favor
conjunto: en conjunto as a whole
conmigo with me, with myself; **para conmigo** toward me
conminar to threaten, admonish
conmoción commotion
conmovedor, -a touching, moving
conmover (ue) to move, affect
conocer to know, be *or* become acquainted with
conocimiento knowledge
conque and so; so then
conquistar to conquer; to attain; **el territorio que conquistase** the territory he had conquered
consecuencia consequence; consistency; **a consecuencia de** as a result of
consecutivamente consecutively
conseguir (i) to obtain; to succeed in
consejo advice; **Consejo** Council of Ministers
conservador, -a conservative
conservar to preserve
consideración consideration
considerar to consider
consignar to consign; to assign
consiguiente consequent; **por consiguiente** therefore

consistir (en) to consist (of, in)
constante constant, continual
Constantinopla Constantinople
constipado head cold
constituir to constitute; to establish
construir to construct, build
consuelo consolation, comfort
consultar to consult; to discuss; **consultar con la almohada** to sleep a thing over, mull it over
consumición consumption
consumo consumption
contacto contact
contagiado, -a affected; infected
contante ready (*money*)
contar (ue) to count; **contar con** to reckon with; **sin contar con** to say nothing of
contener (ie) to contain; **contenerse** to restrain oneself
contenido contents
contentarse con to be satisfied with
contento, -a content, satisfied
contertulio fellow member
contestación answer, reply
contestar to answer
continente *m.* continent
continuación: a continuación below, as follows
continuar to continue
continuo, -a continual
contra against; **en contra de** against
contradictorio, -a contradictory
contrario, -a contrary, opposed; **al (por el) contrario** on the contrary
contrastar to contrast
contratar to engage, hire
contrato contract
contribuir to contribute
contrincante *m.* rival, competitor
convalecencia convalescence
convencer to convince
convencional conventional

convencionalismo conventionalism

conveniente suitable; advantageous

convenir (ie, i) to suit, be advisable; **convenir en** to agree to

convertir (ie, i) to convert, change

convicción conviction

convidar to invite

conyugal conjugal

cónyuge *m. & f.* spouse, mate

copa goblet; drink

Copenhague *f.* Copenhagen

coquetería coquetry

corazón heart

corbata necktie

cordobés, -a Cordovan

coreográfico, -a choreographic

coro : a coro in chorus

corporal corporal, bodily

correo mail, post office

correr to run; to chase; **corre que se las pela** he runs like a scared rabbit

correspondencia dispatch, material sent to a newspaper *or* magazine by a correspondent

corresponder to correspond; **corresponder a** to reciprocate

correspondiente corresponding

corrida (de toros) bullfight

corrido, -a elapsed

corriente ordinary

cortar to cut

corte *m.* cross section; cut, fit; figure; type, tone

Cortés, Hernán (*1485-1547*) *Spanish conquerer of Mexico*

corto, -a short

cosa thing; **bien poca cosa** very little indeed; **cosa del otro jueves** something to write home about; **como quien no quiere la cosa** nonchalantly, in a detached manner

coser to sew; **coser a puñaladas** to cut to ribbons

cosmopolita cosmopolitan

costa cost, price; **a toda costa** at any price

costar (ue) to cost; **cuestan caro** they are expensive

coste *m.* cost

costoso, -a expensive

costumbre custom, habit

costumbrismo literature of manners and customs

costumbrista *m. & f.* critic of manners and customs

cotizar to quote (*a price*); to value, appreciate

courbaturés *Fr.* aching, stiff all over

craneano, -a cranial

cráneo skull

creación creation

crear to create

crecer to grow

creencia belief

creer(se) to believe, think; **creerse en el caso de** to feel oneself obliged to

criada servant girl, maid

criado servant

criar to raise; to breed, grow

criatura creature

crimen *m.* crime

Cristóbal Christopher

crítico, -a critical; *f.* criticism

Cromwell, Oliver (*1599-1658*) *English general and statesman*

crónica news chronicle, feature story

cronista *m.* chronicler; reporter

croupier *Fr.* one who collects and, usually, pays bets at a gaming table

crudo, -a raw

crueldad cruelty

cruz *f.* cross; **Cruz de Hierro** Iron Cross (*pre-war Germany's best known military decoration*)

Cruz, Ramón de la (*1731-1794*) *Spanish dramatist, famous for one-act comedies dealing with Madrid*

customs and types such as the **maja**
(*q.v.*)

cuadro picture, painting; **quien
habla de cuadros habla de
corbatas** it's the same with
neckties as with paintings

cual which, who; **el (la, los, las)
cual(es)** which, who; **cada cual**
each one; **lo cual** which; **tal o
cual** this or that

¿cuál? which?, which one?, what?

cualidad quality; characteristic

cualquier(a) (**cualesquier, cualesquiera**) any(one), anybody, any
whatsoever

cuan, cuán as; how

cuando when; **de cuando en
cuando** from time to time

¿cuándo? when?; **¿de cuándo
acá?** since when?

cuanto, -a all, all that, as much,
everything that; *pl.* all, as many
as, all who; **en cuanto** as soon
as; **en cuanto a** as for, with
regard to; **cuanto más ... (tanto)
más** the more ... the more

¿cuánto, -a? how much?; *pl.* how
many?

cuáquero, -a Quaker

cuarto, -a fourth; *m.* room; obsolete Spanish coin; **¡ni qué ocho
cuartos!** go on, not a chance!

cuartucho hovel

cubierto, -a covered

cubrirse to put on one's hat

cuchillo knife

cuello neck

cuenta account; **dar cuenta de**
to give an accounting of; **darse
cuenta de** to realize, appreciate;
en resumidas cuentas in short;
por su cuenta on his own;
tener en cuenta to bear in mind

cuento tale, story; **cuento de
hadas** fairy tale; **venir a cuento**
to be opportune, applicable to

cuerpo body; **de cuerpo entero**

well-formed, fully developed; im-
posing, massive

cuervo crow

cuesta hill, slope; **a cuestas** on
one's back

cuestecilla little hill

cuestión question, matter; **y henos
aquí ya en plena cuestión conceptual** and here we are now
at the very principle of the matter

cuestionario questionnaire

cuidado care, attention; concern;
dejar sin cuidado to leave unconcerned

cuidar to watch over, care for;
cuidar de to take care of;
cuidarse to take care of oneself

culpa fault, blame; **tener la culpa**
to be to blame, be at fault

cultivar to cultivate

cultivo cultivation

culto worship

cumbre summit

cumpleaños *m.* birthday

cumplir to fulfill; **cumplir ...
años** to be ... years old, attain
the age of

cuño stamp, mark

cura *m.* priest

curar to cure

curioso, -a curious

curso course

cuyo, -a whose, of which

chaise longue *Fr.* lounging chair

chaleco vest

chalina artist's necktie

champaña champagne

chaqueta jacket

charca pool

charlatán *m.* prattler, loudmouth

Charlotte Street *a street in London*

chato wineglass

cheque *m.* check

chico, -a little, small; *n.* little boy,
little girl; *f.* my dear

Chicote, Enrique *famous Spanish comic actor*
chillar to shriek
chillido shriek
chillón, -a loud (*color*)
chimenea fireplace
China: la China China
chino Chinese
chiquitín, -a tiny
chochez inane statement, drivel

dable possible, feasible
dado, -a given; **dado a** devoted to
daga dagger
danés Dane
danza dance, dancing
danzar to dance
danzarín, -a dancing
daño damage
dar to give; **dar abasto** to be sufficient; **dar con** to find, run into; **dar cuenta de** to give an accounting of; **dar en quiebra** to go bankrupt; **dar la casualidad** to so happen; **dar por** to consider as; **da lo mismo** it's all the same, it makes no difference; **darse** to occur, be found; **darse cuenta de** to realize, appreciate; **darse por satisfecho** to be satisfied
dato datum, fact; *pl.* data
de of, from, for, by, as, in, about
debajo (de) beneath, under
deber to owe; ought, must; **deber de** must (*conjecture*); *m.* duty
debido, -a fitting, proper; **debido a** owing to
decadencia decadence
decepción deception; disappointment
decidir(se) (a) to decide (to)
decir (i) to say, tell; **como aquél que dice** so to speak, as one might say; **como si dijéramos,**

so to speak, as the saying goes; **dijérase** it could be said, it could be called; **dígase lo que se quiera** say what you will; **es decir** that is to say; **que digamos** to speak of, as far as that's concerned; **querer decir** to mean
decisión decision
declaración declaration
declarar to declare
decorar to decorate
decorativo, -a decorative
decoro decorum
dedicarse to devote oneself
defecto defect
defender (ie) to defend
defensa defense
definir to define
definitivo, -a definitive
deformado, -a deformed
degradante degrading
dejar to leave, allow; **dejar de** to fail to; to stop; **dejar sin cuidado** to leave unconcerned; **dejar(se) caer** to drop; **dejarse las barbas** to grow a beard
dejo regional accent
delante before, in front; **delante de** in front of; **por delante** in front
delgado, -a thin; **hilar delgado** to hew close to the line, proceed with great care
delicioso, -a delightful
delirio delirium
delito crime
demás other, rest; **los demás** the others; **por lo demás** moreover, besides
demasiado, -a too much
demasiado too; too much
demimundano, -a demi-mundane
demostrar (ue) to demonstrate
denominación denomination
denominador *m.* denominator
dentífrico, -a *see* **pasta**

dentro (de) inside, within; **por dentro** on the inside
depender (de) to depend (on)
deporte *m.* sport
depositar to deposit
depravado, -a depraved
deprimido, -a depressed
derecho, -a right; *m.* right, justice; *f.* right-hand side; **llevar la derecha** to keep to the right
derivar to derive
derrengado, -a twisted; lame
derrochar to waste, squander
desacreditar to discredit
desagradable disagreeable
desanimarse to become discouraged
desaparecer to disappear
desarreglo disorder
desarrollar to develop; **desarrollarse** to take place
desarrollo development
desayuno breakfast
descansar to rest
descender (ie) to decline
desconcierto bafflement, perplexity
desconectado, -a disconnected
desconfiar de to have no confidence in, give up hope of
desconocido, -a unknown
describir to describe
descubierto: al descubierto exposed, in view
descubrimiento discovery
descubrir to discover; **descubrirse** to remove one's hat
descuidar to neglect
desde since, from; **desde luego** of course; **desde que** since
desdeñable despicable
desdeñar to scorn
desdichado wretch
desear to desire
desechado, -a rejected
desembarque *m.* debarkation
desenfrenado, -a unbridled

deseo desire
desesperación despair
desesperado, -a hopeless
desesperar to lose hope
desgarbado, -a graceless
desgracia misfortune
desgraciadamente unfortunately
deshacer to undo; to destroy
deshecho, -a unmade
deshonrado, -a dishonored
designación designation
designar to designate
deslealtad disloyalty
deslumbrar to dazzle
desmedido, -a excessive,
desmerecer to be unworthy
desmesurado, -a extreme, excessive
desnaturalizar to denaturalize
desnudo, -a naked
desolación desolation
desolado, -a desolate
despacho dispatch
despectivo, -a disparaging
despedirse (i) (de) to take leave (of)
desperdiciar to waste
despertarse (ie) to awaken
despierto, -a awake
despilfarro waste
desplumadura plucking
desplumar to pluck, deplume
despojar to strip
despreciar to scorn
desprecio scorn
despreocupación unconcernedness; unconventionality
despreocupado, -a unconventional
desproporción disproportion
despropósito nonsense, absurdity
desprovisto, -a devoid
después after, later, afterwards; **después de (que)** after
despuntar to dawn, come on (*day, morning, etc.*)
destacarse to stand out, be distinguished

destilería distillery
destino destiny, fate; **¿habráse visto un destino más horrible?** was there ever a more horrible fate?
desvanecer to disappear
desventaja disadvantage
detalle *m.* detail
detener (**ie**) to detain, arrest; **detenerse** to stop
detenidamente carefully
determinado, -a determined, resolute; given; fixed (*amount*)
determinante *m. & f.* determinant
determinar to determine; to cause
detrás (**de**) behind, after
deuda debt
deutsches Ger. German
Deutschland über Alles German national anthem
devorado, -a devoured
devorador, -a devouring
día *m.* day; **al día** per day; **al día siguiente** (**al otro día**) on the following day; **cada día más** more and more; **el día de mañana** some future day; **el mejor día** some fine day; **quince días** two weeks
diablo devil; **¡qué diablos!** what the devil !
dialéctico, -a dialectical, argumentative
diálogo dialogue
diariamente every day
diario, -a daily; *m.* daily paper
dicho, -a said; **dicho se está** it goes without saying; **propiamente dicho** strictly speaking; *m.* saying
diferenciar to differentiate
diferente different
difícil difficult
digerir (**ie, i**) to digest; **por digerir** when it comes to digesting
dignidad dignity
digno, -a worthy

diluvio deluge
dineral *m.* large amount of money
dinero money
dinosauro dinosaur
Dior, Christian (*1905-1957*) *French fashion designer*
Dios *m.* God; **alma de Dios** poor fellow, kind, guileless person; **hombre de Dios** my good man; **¡por Dios!** for heaven's sake!
diosa goddess
dirección direction
directo, -a direct
director *m.* director; editor
Direktor Ger. director, manager
dirigir to direct; to address; **dirigirse a** to address; to go *or* come toward
disco disk, record
disculpable excusable
discusión discussion
discutir to discuss
disecado, -a stuffed (*dead animal*)
diseminado, -a scattered
disfrazar to disguise
disfrutar to enjoy
disimular to dissimulate; to disguise
disipar to dissipate
disminución diminution, decrease
disminuir to diminish
disparatado, -a nonsensical
disponer de to have at one's disposal; **disponerse a** to get ready to
disposición disposal
dispuesto, -a ready, disposed
disputa dispute; **sin disputa** beyond dispute
distancia distance
distanciado, -a at a distance, removed
distinguido, -a distinguished
distinguir to distinguish
distintivo insignia; distinctive mark

distinto, -a distinct, different
distracción distraction
distraído, -a distracted, absent-minded
distribuir to distribute
divagación digression
diverso, -a diverse, different
divertido, -a amusing; amused
divertir(se) (ie, i) to divert, amuse; to have a good time
dividir to divide
divino, -a divine
doblar to bend
docena dozen
documentado, -a documented
documental *m.* documentary (*film*)
Doktor *Ger.* doctor
dólar *m.* dollar
dolencia ailment
doler (ue) to ache
dolor *m.* pain
doloroso, -a painful
domar to tame, break in
doméstico, -a domestic
domicilio dwelling
dominar to dominate; to subdue, conquer
domingo Sunday
don *m.* *title used before masculine Christian names*
donde where; **por donde** for which reason
¿dónde? where?; **¿en dónde?** where?
dondequiera anywhere, wherever
doña *title used before Christian names of married women or widows*
dormido, -a asleep
dormir (ue, u) to sleep; **dormirse** to fall asleep
dosel *m.* canopy
dotado, -a equipped
dramático, -a dramatic
Dreiser, Theodore (*1871-1945*) *American editor and novelist*
droga drug
ducal ducal

ducha shower bath
duda doubt; **no cabe duda** no doubt, there's no doubt; **sin duda** doubtless
dueño owner, master
dulce sweet
duque *m.* duke
duración duration
durante during
duro, -a hard; *m.* dollar

e (*before* i *or* hi) and
ebanistería cabinetmaker's shop
ebullición boiling, bubbling
eclesiástico, -a ecclesiastic
economía economy
económico, -a economic
ecuanimidad equanimity
echar to throw, cast, hurl; **echar abajo** to destroy; **echar el bofe** to strive, work hard; **echarse a** to begin to; **echarse encima** to rush at, fall on
edad age; **Edad Media** Middle Ages
edición edition
edificar to build
edificio building
editorial *m.* editorial; *f.* publishing house
edredón eider down; feather pillow
educadito, -a nicely educated
efectivamente actually, as a matter of fact
efectivo, -a actual; permanent, regular
efecto effect; end; **a tal efecto** for that purpose; **en efecto** in fact
efectuar to carry out
eficaz effective, efficacious
efímero, -a ephemeral
egipcio, -a Egyptian
egoísmo egoism
ejemplar *m.* model, example

ejemplo example
ejercer to exercise, exert
ejercicio exercise; practice
ejercitar to exercise; to practice
elaborar to elaborate; to manufacture
elasticidad elasticity
elástico, -a elastic
Elberfeld *city of western Germany*
elección election
eléctrico, -a electric
electrónico, -a electronic
elefante *m.* elephant
elegancia elegance
elegante elegant
elegir (i) to elect; to choose
elevado, -a elevated; lofty
elevar to raise; **elevarse** to rise
eliminar to eliminate
Élisée Montmartre = Élysée Montmartre (*former Parisian night club*)
elogiar to praise
elogio praise
eludido, -a evaded
ello it, that; **ello es que** the fact is that; **ello no obstante** despite that fact; **si ello es así** if such is the case
emancipador, -a emancipating
embarcarse to embark
embargo: sin embargo nevertheless
embestir (i) to attack; to strike, charge
embrutecer to brutalize, stupefy
Emilia Emily
Emilio Emile
eminentemente markedly
emisora broadcasting station
emoción emotion, thrill
emocionar to move, thrill
empeñarse (en) to insist (on)
empezar (ie) to begin
empleado employee; **empleado de correos** postal employee
emplear to employ
empleo employment

empollar to brood, hatch
emprendedor, -a enterprising
emprender to undertake
empresa company, firm; **empresa de pompas fúnebres** undertaking establishment
empresario manager, impresario
empujar to push
en in, at, on, into
encantar to charm
encanto charm, delight
encarecer to extol
encargarse (de) to take charge (of)
encargo job, responsibility
encarnar to embody
encender (ie) to light, set fire to; to turn on (*radio*)
encima above, on top; **por encima de** above, over; **quitarse de encima** to get rid of; **tener encima** to be burdened with
encoger(se) to shrink
encontrar (ue) to find; **encontrarse** to be; **encontrarse con** meet, run across
enchufar to fit, connect
enemigo enemy
energía energy
enérgico, -a energetic
enfadado, -a angry
enfadarse to be annoyed
énfasis *m.* emphasis
enfático, -a emphatic
enfermedad illness
enfocar to focus
engañar to deceive
engaño deceit; misunderstanding; **llamarse a engaño** to declare oneself duped
engordar to get fat
enlodar to muddy
enorme enormous
Enrique Henry
enriquecerse to become rich
enrojecerse to flush, turn red
ensayar to try

ensayo trial
entablar to start, establish
entender (ie) to understand; entenderse to understand one another
entendido: tener entendido to understand
enterarse (de) to learn, become aware, find out (about)
entero, -a whole, entire; por entero entirely
entierro burial; funeral
entonces then; por aquel entonces at that time
entrada entrance; admission, admission ticket
entrar (en) to enter
entre among, between; por entre through, among
entregar to hand over; entregarse to abandon oneself
entremezclado, -a intermingled
entretanto meanwhile
entretenerse (ie) to amuse oneself
entusiasmo enthusiasm
enumerar to enumerate
envanecer to make vain
envejecer to grow old
envergadura spread, reach
enviar to send
envidia envy
envidiable enviable
envidiar to envy
epatar = *épater Fr.* to dumfound, shock
épater le bourgeois Fr. to shock the conventionally-minded
epistolar epistolary
época epoch
equilibrio balance
equipaje *m.* baggage
equivalente equivalent
equivaler to equal, be equivalent
erguir (i) to raise, lift up
ésas: ni por ésas by no manner of means
escala scale

escalar to scale
escalinata stone step, stairs
escalofriante frightening
escalofriar to chill; to thrill; to frighten
escalofrío chill; thrill; fright
escamado, -a frightened
escandalizarse to be scandalized
escándalo scandal
escaparse to run away; escapársele a uno to miss, not notice
escaparate *m.* show window
escarnio derision, insulting ridicule
escarola endive
escena scene
escenario stage
esclavitud slavery
esclavizar to enslave
esclava slave; drudge
esclavo slave
escoger to choose
esconder to hide
escribir to write
escritor *m.* writer
escudo *Portuguese coin worth about 3 1/2 cents*
escudriñador, -a scrutinizing
escuela school
esculpir to sculpture; engrave
escultor *m.* sculptor
escultura sculpture
esfuerzo effort
eslavo Slav
esmero care, attention
eso that, that matter; eso de que the idea that; por eso on that account
espacio space
espantoso, -a frightful
España Spain
español, -a Spanish; *n.* Spaniard; *m.* Spanish language
españolismo Spanish nature *or* essence; Hispanicism
españolizar to make Spanish, Hispanize

especial special
especializar to specialize
especie *f.* species
espectáculo spectacle
espectador *m.* spectator
espectro specter
especulativo, -a speculative
espejo mirror
espeluznante hair-raising
espeluzno chill, terror
esperanza hope
esperar to await, wait (for), hope, expect
espeso, -a thick, heavy
espíritu *m.* spirit
espiritual spiritual
esponja sponge
esponjoso, -a spongy
esposa wife
esposo husband
esprit Fr. spirit; wit
espuertas: a espuertas in abundance
establecer to establish
establecimiento establishment
estación station
estadística statistics
estado state; **los Estados Unidos** the United States
estafa swindle
estampía: de estampía suddenly
estandardizar to standardize
estar to be; to look; **claro está** to be sure, of course; **dicho se está** it goes without saying; **estar aviado** to be in a jam; **no estar para** to be in no mood for
estatua statue
estatuario, -a statuary, statuesque
estatura stature
éste, ésta the latter
estético, -a aesthetic
estilo style
estimar to esteem
estímulo stimulus
estirado, -a stuck-up, prim
estirar(se) to stretch

esto this; **a todo esto** all the while; **en esto** at this juncture; **esto es** that is (to say)
estómago stomach
estornudar to sneeze
estornudo sneeze
estragos *m. pl.* damage, havoc
estrecho, -a narrow; close
estrella star
estrellarse to crash
estremecerse to shudder
estremecimiento shuddering
estrenar to perform (*a play*) for the first time
estreno première
estrépito noise, uproar
estrictamente strictly
estridencia stridence
estropear to ruin
estructura structure
estudiar to study
estudio study
estupefaciente amazing, astonishing
estupefacto, -a dumfounded
estupidez stupidity
estúpido, -a stupid
eternidad eternity
eterno, -a eternal
ética ethics; **en buena ética** morally speaking, according to good ethics
etiqueta etiquette
Eugenio Eugene
Europa Europe
europeísmo Europeanism
europeización Europeanization
europeizar to Europeanize
europeo, -a European; *n.* European
evadir to avoid
evidente evident
evitar to avoid
evocar to evoke
evolucionar to evolve
exacto, -a exact
exagerar to exaggerate

exaltación exaltation
exaltar to exalt; to magnify
excederse to go too far
excelencia: por excelencia par excellence
excelente excellent
excepción exception
excepto except
excesivo, -a excessive
exceso excess
exclamación exclamation
exclamar to exclaim
exclusivo, -a exclusive
exhalar to exhale
exhibir to exhibit, display
exigir to require, demand
existencia existence
existente existent
existir to exist
éxito success
expedito, -a free, easy
expensas: a expensas de at the expense of
experiencia experience
experimentar to experience; to suffer
experimento experiment
explicación explanation
explicar to explain; **explicarse** to understand
explorador *m.* explorer
explorar to explore
explotación exploitation
explotar to exploit
exponer to expose; to expound
expresamente expressly
expresar to express
expresión expression
expuesto, -a exposed; on display
extemporáneo, -a anachronistic, strange
extender (ie) to extend
exterminar to exterminate
externo, -a external
extracción extraction
extranjero, -a foreign; *n.* foreign-

er; *m.* foreign land; **al (en el) extranjero** abroad
extraño, -a strange
extraordinario, -a extraordinary
extremo, -a distant, far out

fábrica factory
fabricante *m.* manufacturer
fabril (pertaining to) manufacturing
fabuloso, -a fabulous
facilidad ease, facility; opportunity
facilísimo, -a easy, very easy; very prone
facultativo, -a of a doctor
faena task, job, work; **una mala faena** a disservice, a bad turn
falsedad falsity
falso, -a false, counterfeit
falta lack; mistake; **a (por) falta de** for want of; **hacer falta** to be needed, be necessary
faltar to be lacking; **me falta** I need, I lack
falto: falto de lacking
fama fame
familia family
familiar (pertaining to the) family
famoso, -a famous
fantasía fantasy, fancy
fantástico, -a fantastic
farolear to bluff
fatal fatal, deadly; evil
fatalmente inevitably
fatigoso, -a tiring, trying
favor *m.* favor; **a (en) favor de** in favor of; **por favor** please
fe *f.* faith
fealdad ugliness
fecha date
Federico Frederick
felicidad happiness
feliz happy
femenino, -a feminine
fenómeno phenomenon

feo, -a ugly
Ferrer, Francisco (*1859-1909*) *a leading anarchist, condemned to death by the Spanish government in 1909*
ferretería hardware store
ferrocarril *m.* railroad
fertilizar to fertilize
ficción fiction
ficticio, -a fictitious
ficha filing card
fideos *m. pl.* noodles
fiebre *f.* fever
fiesta holiday, celebration
figura figure
figurarse to imagine
fijarse (en) to notice, pay attention (to); **¡fíjate!** look here!; **¡fíjense ustedes bien!** think carefully!
fijo, -a fixed
filántropo philanthropist
filosofía philosophy
filosófico, -a philosophical
fin *m.* end, purpose; **a fin de** in order to; **a fin de que** so that; **al (por) fin** finally; **al fin y al cabo** after all; **en fin** in short
financiero, -a financial
fino, -a fine
firma signature; firm
firmar to sign
firme: en firme definitively
fisonomía physiognomy
flaco, -a thin
flamenco, -a Andalusian gypsy (*dance, music, costume, etc.*); **bailar flamenco** to dance in flamenco fashion
flor *f.* flower
florecimiento flowering
florentino, -a Florentine
foca seal
foco electric light
fondo bottom, depth, rear; **a fondo** thoroughly
fonógrafo phonograph
forjar to forge, build; **forjarse** to dream up

forma form, way
formar to form
formidable formidable; immense, huge
fortuna fortune, good fortune; **hacer fortuna** to make a fortune; to be successful
forzar (ue) to force
forzosamente unavoidably
fósl *m.* fossil
fosilizado, -a fossilized
fracasar to fail
fracaso failure
fraile *m.* friar, monk
francés, -a French; *n.* Frenchman, French woman; *m.* French language
Francia France
Francisco Francis
frasco bottle, flask
frase *f.* sentence, phrase, statement
Frau *Ger.* Mrs.
Fräulein *Ger.* Miss
frecuencia frequency
frecuentar to frequent
frecuente frequent
fregar (ie) to scrub, wash
freír (i) to fry
frente a opposite, in front of
fresco, -a fresh; *m.* fresco; **al fresco** in fresco (*painting*)
Freud, Sigmund (*1856-1939*) *Austrian neurologist, founder of psychoanalysis*
Friedrichstrasse *street in Berlin*
frío, -a cold; *m.* cold; **tener frío** to be cold
frito, -a fried
frívolo, -a frivolous
frontera frontier
frotación rubbing
frotar(se) to rub
fuego fire
fuera (de) outside (of); **por fuera** outside
fuerte strong
fuerza force, strength; **a fuerza**

de by dint of, on account of;
a la fuerza forcibly
fugaz fleeting
fugitivo, -a fugitive
Fulaniño *affec.* so-and-so
Fulano de Tal *m.* so-and-so
fumar to smoke
función function, operation
funcionamiento working, performance
funcionar to function, run
fundamentar to establish, base
fundar to found, base
fúnebre funeral, funereal
furtivo, -a clandestine
fusil *m.* gun, rifle; fusil ametrallador machine gun
fusilar to shoot
futuro future

gabán *m.* overcoat
gafas *f.pl.* spectacles; calarse las gafas to put on one's glasses
gala festive dress; splendor
galante gallant
galantería gallantry
galería department
Galicia *region of northwestern Spain*
galope *m.* gallop
gallego, -a Galician; *n.* Galician
gallo cock; gallo de pelea gamecock
Gallup, George H. (*1901- *) *American statistician*
gana desire; como le diese la gana however he wished; cuando le venga en gana whenever he may wish; de buena gana willingly
ganado livestock, cattle
ganar to earn, win; to gain, take on
garantizar to guarantee
garbanzo chickpea
garrotín *m. flamenco-type Spanish dance*

Gaspar Jasper
gastar to spend; to wear
gastronómico, -a gastronomic
Gautier, Théophile, (*1811-1872*) *French poet and novelist, a discoverer of romantic and picturesque Spain in his travel books*
gemido moan, groan
generación generation
general general, customary; por lo general generally speaking; *m.* general
generalización generalization
generalizar to generalize
género class, kind, genus
generosidad generosity
generoso, -a generous
genio temperament, nature; genius
gente *f.* people
gentil genteel, elegant
geográfico, -a geographic
geológico, -a geological
gerente *m.* manager
gesto gesture
gigantesco, -a gigantic
gimnasia gymnastics; gimnasia de lata canned gymnastics
Giralda: la Giralda *Moorish belltower of the Seville cathedral*
giratorio, -a revolving
gitanería Gypsyism
gitano Gypsy
gloria glory
gobierno government
golpe *m.* blow; de golpe y porrazo in a rush, all at once
goma gum; rubber band; rubber ring to keep an umbrella from unrolling; goma de mascar chewing gum
gordo, -a fat; large
gordura corpulence
gota drop; sudar la gota gorda to sweat like a bull, work one's head off
gótico, -a Gothic
Goya y Lucientes, Francisco de

(*1746-1828*) *Spanish painter* («*La maja desnuda*»)
goyesco, -a (pertaining to *or* in the style of) Goya
gozar (de) to enjoy
grabar to engrave
gracia grace; witticism; *pl.* thanks; **hacer gracia** to please, be pleasing; **hacerle a uno gracia** to strike one as funny
gracioso, -a graceful, attractive
gramatical grammatical
gramófono gramophone
gran, grande large, huge; great
Granada *city of southern Spain*
Granados, Enrique (*1868-1916*) *Spanish musician and composer, whose opera* «*Goyescas*» *enjoyed a great success in New York*
Grand Guignol *Parisian theatre specializing in horror plays*
gratitud gratitude
grave grave, serious
gravedad gravity, seriousness; **dentro de la gravedad** considering the seriousness of the patient's condition
Grecia Greece
gremial (pertaining to a) union
Gretchen *Ger. prop. n.*
griego, -a Greek; *m.* Greek language
gripe *f.* grippe
griseta grisette, French working-class girl
gritar to shout
gritería outcry
grito cry, shriek; **dar gritos** to shout
grosero, -a coarse, crude
grotesco, -a grotesque
grupo group
guante *m.* glove
guapísimo, -a extremely handsome
guapo, -a handsome, good-looking

guardar to keep
guardia *m.* policeman
guerra war
guía guidebook
guiñar to wink
Guipúzcoa *one of the three Basque provinces of northern Spain*
guipuzcoano, -a (of *or* pertaining to) Guipúzcoa
guisado stew
guitarra guitar
gustar to please, be pleasing to; **me gusta** I like it
gusto taste, pleasure, liking; **a gusto** in comfort; **tomar el gusto a** to take a liking for
gustoso, -a ready, willing
Gutiérrez Gamero, Emilio (*1844-1935*) *Spanish writer and journalist*

habano Havana cigar
haber to have (*aux.*); to be (*impers.*) *e. g.*: **hay** there is, there are; **había (hubo)** there was, there were; **haber de** to be to, have to, will, must; **haber que** to be necessary to; **no hay que** one should not; **hay que ver** you should see; **habérselas con** to have it out with
hábil skillful
habilidad skill
habitación room
habitante *m. & f.* inhabitant
habitar to reside
hábito habit
habitual regular
habla speech, language; **de habla española** Spanish-speaking
habladito, -a over-refined in speech, affected
hablar to talk, speak; **romper a hablar** to burst out talking
hacer to make, do; **hacer caso (de)** to take into consideration; to pay attention (to); **hacer de** to act

as; **hacer falta** to be needed, be necessary; **hacer gracia** to please, be pleasing; **hacerle a uno gracia** to strike one as funny; **hacerse atrás** to fall back; **hacerse cargo de** to take charge of; **¿qué vamos a hacerle?** what can we do about it?; (*impers. in time constructions*) *e. g.*: **desde hace siglos** for centuries; **desde hace algunos años a esta parte** for some years now; **hace algunos días** some days ago; **hasta hace pocos años** until a few years ago
hacia toward
hacienda property, fortune
hada fairy; **cuento de hadas** fairy tale
halagar to gratify
Halensee suburb of Berlin
hambre *f.* hunger
hasta until, to, up to; even
he here is, here are, behold; **he aquí** here you have; **heme aquí** here I am; **y henos aquí ya** and here we are now
hectárea hectare (*2.471 acres*)
hecho, -a made, done; *m.* fact, event, phenomenon
helado, -a frozen
hendidura cleft, crack
heredado, -a inherited
herido, -a wounded
hermoso, -a beautiful
héroe *m.* hero
heroico, -a heroic
Herr Ger. Sir, Mr.
hidalgo nobleman
hidráulico, -a hydraulic
hielo ice
hierro iron
hígado liver
hija daughter
hijo son; *pl.* children
hilar to spin; **hilar delgado** to hew close to the line, proceed with great care

himno hymn
Hindenburg, Paul von (*1847-1934*) German field marshal ; president of Germany (*1925-1934*)
hipótesis *f.* hypothesis
Hispanic Society of America founded in New York City in *1904* by Archer M. Huntington (*q. v.*)
hispanista *m. & f.* Hispanist
Hispanoamérica Hispanic America
historia history
histórico, -a historical
hocico snout
hogar *m.* home, household
hoja leaf, blank (*sheet of paper*); **tomar el rábano por las hojas** to substitute erroneously, misconstrue, misinterpret
hojear to leaf through
¡hola! hello !
holgar (ue) to be idle; to be unnecessary
holgorio gaiety
holgura ease, comfort
hombre *m.* man; **hombre de Dios** my good man
hombrecito little man
hombrera shoulder pad
hombro shoulder
homenaje *m.* homage; testimonial; **en homenaje suyo** in his honor
Homme : L'Homme Enchaîné The Fettered man (*Clemenceau's newspaper, originally called « L'Homme Libre », changed in name in protest against government repression*)
hondo, -a deep
honrar to honor
hora hour
horadar to bore, pierce
horario timetable
horca gallows
horno furnace, kiln
horror: **¡qué horror!** how terrible !

horrorizado, -a horrified
horrorizarse to be horrified
hoy today; **hoy día** nowadays
hueco, -a hollow
huelga strike
huella mark, trace
hueso bone
huésped *m.* guest; **huésped de pago** paying guest
huevo egg
huir to flee
humanidad humanity
humano, -a human
humildad humility
humo smoke
humor *m.* humor, disposition; **de mal humor** in a bad humor
humorismo humor
humorístico, -a humorous
Huntington, Archer M. (*1870-1955*) *American philanthropist*

idealismo idealism
idealista idealistic
idéntico, -a identical
identificado, -a identified
idioma *m.* language
idiota *m.* idiot
iglesia church
Iglesias, Pablo (*1850-1925*) *Spanish politician, founder of the Socialist party*
Ignacio Ignatius
ignorancia ignorance
ignorar to be ignorant of
igual equal; **al igual que (de)** as, like; **igual que** the same as, as well as
ilimitación boundlessness; lack of restraint
iluminar to illuminate
ilusión illusion
ilustre illustrous
imaginación imagination
imaginar(se) to imagine
imaginario, -a imaginary

imbécil *m.* imbecile
imitación imitation
imitar to imitate
impaciencia impatience
impeler to impel
imperfecto, -a imperfect
imperioso, -a imperative
impermeable waterproof; impervious; *m.* raincoat
implicar to imply
imponer to impose
importancia importance
importante important
importantísimo, -a most important
importar to matter
importe *m.* amount
imposible impossible
impostura imposture
imprecación imprecation, curse
imprenta printing
impresión impression
impresionante impressive
impresionar to impress; to record (*a phonograph disc*)
imprimir to impart
impropio, -a improper, unsuited
improvisado, -a improvised
impulsar to impel
impunemente with impunity
inadaptabilidad inadaptability
inadmisible unallowable
inadvertido, -a unnoticed
inca *m.* Inca
incapacidad incapacity
incapaz incompetent
incauto, -a unwary
incendiar to set on fire
incendio fire
inclinación bow
inclinado, -a leaning
incluído, -a included
incluso including, even
incómodo, -a uncomfortable
inconfundible unmistakable
incontrolable uncontrollable
inconveniente *m.* obstacle, difficulty

incorregible incorrigible
incredulidad incredulity
increíble incredible
incubar to incubate
independencia independence
indicar to indicate
indicio sign
indiferencia indifference
indígena native, indigenous
indignación indignation
indignado, -a indignant
indignar to anger; irritate; **indignarse (de, contra)** to become indignant (at)
indio Indian
indiscutible unquestionable
indispensable indispensable
individualista individualistic; *m. & f.* individualist
individuo individual
indudable unquestionable
indudablemente undoubtedly
industria industry
industrial *m.* industrialist
industrialización industrialization
industrialmente industrially
ineludible inescapable
inequívoco, -a unmistakable
inevitablemente inevitably
inexorablemente inexorably
inexplicable unexplainable
infancia infancy
infanta *any daughter of a king of Spain*
infantería infantry
infeccioso, -a infectious
infeliz unhappy; good-hearted; *m.* candid, naive soul
inferioridad inferiority
ínfimo, -a lowest, least
infinidad infinity, infinite number
infinitamente infinitely
influencia influence
influído, -a influenced
influir en to have an influence on
información information
ingenio skill, cleverness

Inglaterra England
inglés, -a English; *n.* Englishman, Englishwoman; *m.* English language
inglesizado, -a Anglicized
ingratitud ingratitude
inmediatamente immediately
inmejorable superb
inmovilidad immobility
inmutable invariable
inocente innocent
inquietud concern
insecto insect
insensato, -a foolish, stupid
insignificante insignificant
insinuación insinuation
insinuar to insinuate
insistencia insistence
insistente insistent
insistir en to insist on
insolvente insolvent
inspiración inspiration
inspirado, -a inspired
instalación installation
instalar to install; **instalarse** to settle, take one's place
instintivamente instinctively
instinto instinct
institución institution
instrucción instruction
instructivo, -a instructive
instruir to instruct
instrumento instrument
íntegro, -a whole, complete
inteligencia intelligence, understanding
inteligente intelligent
intención intention
intentar to try, attempt
interés *m.* interest
interesar to interest
interior inner
intermedio, -a intermediate
interno, -a internal
interpretación interpretation
interrumpir to interrupt
intervenir (ie, i) to intervene

intimidad intimacy
intrepidez intrepidity, fearlessness
intrépido, -a fearless
introducción introduction, presentation
introducir to insert, put in; **introducirse** to gain access
inútil useless; no matter
inútilmente uselessly, to no avail
inventar to invent
invertir (ie, i) to invert; to invest
invierno winter
invitación invitation
invitado guest
invitar to invite
invulnerabilidad invulnerability
invulnerable invulnerable
ipso facto *Lat.* by the fact *or* act itself
ir to go; **ir + *pres. part.*** to go on, begin ... -ing; **irse** to go away, leave
irascible prone to anger
irreductible unmovable, adamant
irregularidad irregularity
irritar to annoy, anger
isla island
Italia Italy
italiano, -a Italian; *n.* Italian
izquierdo, -a left; *f.* left-hand side

jacarandoso, -a carefree
jadear to pant
jamás never, ever
japonés Japanese
jaqueca headache
jarro pitcher
jefatura leadership
jerez *m.* sherry
Jerez (de la Frontera) *city in the province of Cádiz, famous for its wines*
Jesucristo Jesus Christ
jinete *m.* horseman
Joaquín Joachim
jolgorio *var.* of **holgorio** gaiety

jornada workday
José Joseph
joven young; *m. & f.* young man, young woman
Joyce, James (*1882-1941*) *Irish writer*
Juan John
judío Jew
juego game, play, gambling
juerga spree; **ir de juerga** to go on a spree
jueves *m.* Thursday; **cosa del otro jueves** something to write home about
juez *m.* judge
jugada play, move
jugador *m.* gambler
jugar (ue) to play, risk, gamble; **jugar a** to play at (*cards, billiards, etc.*)
jugoso, -a juicy, substantial
juguete *m.* plaything
Julio Julius
junta board, council, bureau
junto: junto con along with
jurar to swear
jurídico, -a juridical
justicia justice
justifiacción justification
justificar to justify
justo, -a just, correct
juvenil youthful
juventud youth
juzgar to judge

Kant, Immanuel (*1724-1804*) *German philosopher*
kilo kilogram
kilómetro kilometer

labio lip
laborable workable; work (*day*)
laborioso, -a laborious
lácteo, -a (pertaining to) milk
ladino, -a cunning, crafty
lado side; **al lado** nearby

lágrima tear
lamentar to lament
lamparón large grease spot
lana wool
lanzar(se) to launch, hurl, throw; to dash
largar to utter, let out
largo, -a long; a la larga in the long run
lastimero, -a doleful
lastre *m.* ballast
lata tin can
latín *m.* Latin
latitud latitude
lealmente faithfully
lección lesson; reading
lector *m.* reader
lectura reading
leche *f.* milk
lechuga lettuce
leer to read
Lefèvre: Rue Lefèvre a street in Paris
legión legion, multitude
legítimo, -a legitimate
Leicester Square a square in London
lejanía remoteness
lejano, -a distant
lejísimo, -a at a great distance
lejos far
lengua language, tongue
lenguaje *m.* language
lentitud slowness
lento, -a slow
Lerroux, Alejandro *(1864-1940) Spanish journalist and politician, leader of the Radical Republican party*
letrero sign
levantar to raise; levantarse to rise
levita frock coat; vestir de levita to dress in, wear a frock coat
Lewis, Sinclair (1885-1951) American novelist
ley *f.* law
leyenda legend

libación libation
libertad liberty, freedom
libertar to free
libra pound; libra esterlina pound sterling
librar to free; to spare; librarse to escape
libre free
librea livery
libro book
licenciado licentiate; lawyer
lidia fight; bullfight
lidiar to fight; to fight bulls
ligereza lightness
ligero, -a light, slight
limeño native of Lima
límite *m.* limit; no tener límites to know no bounds
limosna alms
limpiar to clean
limpio, -a clean
limpito, -a nice and clean
linchamiento lynching
Lindsey, Benjamin B. *(1869-1943) American jurist; author of « The Revolt of Modern Youth » (1925)*
línea line
linfatico, -a lymphatic, sluggish
lingüístico, -a linguistic
literario, -a literary
literato writer
literatura literature
litro liter
lo: lo cual, lo que what, that which, how much; lo de that matter of; lo de que the fact that, the statement that; lo de menos the least of it; lo mejor the best (part)
local *m.* premises
loción lotion
loco, -a crazy; volverse loco to go crazy
lógico, -a logical
lograr to attain; to be successful, manage
londinense (pertaining to) London

Londres *m.* London
Loos, Anita (*1893- *) *American writer*
lozano, -a luxuriant; sprightly, spirited
lucidez lucidity
lucir to shine, look attractive, come off well
lucrativo, -a lucrative
lucha struggle
luchar to struggle
luego then; later; **desde luego** of course
lugar *m.* place; **en lugar de** instead of; **tener lugar** to take place
lúgubre dismal, gloomy
Luis Louis
lujo luxury
luminoso, -a luminous
luna moon; **luna de miel** honeymoon
lunes *m.* Monday
luz *f.* light; **cuando se hace la luz** when the lights come on

llama flame
llamar to call; **llamarse** to be named; **llamarse a engaño** to declare oneself duped
llamativo, -a showy, attracting attention
llano plain
llanura plain
llegada arrival
llegar(a) to arrive, reach; succeed in, come to
llenar to fill; to fulfill
lleno, -a full; **de lleno** fully, entirely; squarely
llevar to carry, take; to wear; to spend, lead (*time, life*) *e. g.*: **llevan dos años aquí** they have been here two years; **lleva una vida perra** he leads a wretched existence; **llevar la derecha** to keep

to the right; **llevarse** to carry away
llorar to cry
Lloyd's of London *English insurance firm dating from the late 17th century*
lluvia rain

Machaquito *professional name of* **Rafael González Madrid,** *Spanish bullfighter who retired in 1913*
madre *f.* mother
madrileño, -a (*of or* pertaining to) Madrid
madrugar to get up early
maduro, -a mature
maestro master, teacher, expert
magia magic
magistrado magistrate
magnánimo, -a magnanimous
magnífico, -a magnificent
maja *traditional Spanish type of the 18th and early 19th centuries, perpetuated in art (Goya) and literature (Ramón de la Cruz)*
majestad majesty
mal badly, poorly; *m.* illness
Málaga *important seaport in southern Spain*
maldito, -a wicked, infamous
mal leché = ours mal leché *Fr.* ill-licked cub, unmannerly person
mal(o), -a bad, wicked; ill; **y menos mal** and it's a good thing
malla mesh
mamá mama, mother
Mancha: la Mancha *region of central Spain*
manchar to stain
manejo handling
manera manner
manifestación manifestacion, disclosure
manifestar (ie) to show
maniobra operation, maneuver
manjar *m.* food, dish
mano *f.* hand; **echar mano de**

to resort to; **mano a mano** face to face, on equal terms
manojo handful
manola *see* **maja**
manta blanket
manteca lard; butter
mantener (ie) to maintain
manto mantle, cloak
manufactura manufactured item
mañana tomorrow; *f.* morning; **de la noche a la mañana** suddenly; **el día de mañana** some future day; **por la mañana** in the morning
mapa *m.* map
mapamundi *m.* world map
máquina machine, engine
maquinaria machinery
mar *m. & f.* sea
maravilla marvel; **a las mil maravillas** magnificently
maravillarse to be amazed, wonder
maravilloso, -a marvelous
marcar to mark
marcha march; **poner en marcha** to start, launch
marchar(se) to go, go away; to walk
mareado, -a seasick
mareo seasickness
margen *m. & f.* margin, edge; **al margen de** outside of, removed from, unaware of
María Mary
Mariano Marion
Maricastaña: de los tiempos de Maricastaña from olden times
marido husband
mármol *m.* marble
marquesa marquise
marzo March
más more, most; **los (las) más** the majority; **a más de** besides; **el que más y el que menos** each one; all, more or less; **más bien** rather; **ni más ni menos**

neither more nor less; **no ... más que** only; **sin más ni más** just like that, without further ado
masa mass; **en masa** en masse
masaje *m.* massage
mascar to chew
masculino, -a masculine
matadero slaughter house
matar to kill
matemático mathematician
materia material
material *m.* equipment
materialismo materialism
matinal matinal, morning
matrimonio marriage; married couple
máxima maxim
maya Mayan
mayor older, oldest; greater, greatest; special, particular *e. g.:* **eso no tiene mayor importancia** that has no particular importance; **al por mayor** wholesale
mayorcita *affec.* elder
mayoría majority
Meca: la Meca Mecca (*holy city and pilgrimage site of the Mohammedans*)
mecánico, -a mechanical
media stocking
mediano, -a medium, average
mediante by means of
medicamento medicine
médico, -a medical; *m.* doctor
medida measure; **a medida que** while
medio, -a half, middle; **de en medio** in between; **por medio de** by means of; *m.* half; means; environment
mein Ger. my
mejicano Mexican
Méjico Mexico
mejor better, best; **el mejor día** some fine day; **lo mejor** the best (part)
mejorar to improve

melancolía melancholy
memoria memory
mendigo beggar
menor smallest, least
menos less, least, except; **al (a lo, por lo) menos** at least; **lo de menos** the least important thing; **y menos mal** and it's a good thing; **ni más ni menos** neither more nor less; **la cosa no era para menos** the matter was of serious concern
mentalidad mentality
mentalmente mentally
mentira lie
menudo: a menudo often
mercancía merchandise
mercantil mercantile
mercenario, -a mercenary
merecer to deserve
merecimiento desert, merit
mérito merit, worth, value
mes *m.* month
mesa table
meter to put in, insert; **meterse en** to get into; to become involved in
metódico, -a methodical
método method
metro meter
metrópoli *f.* metropolis
mezclar to mix; **mezclarse** to mingle, take part
microscopio microscope
miel *f.* honey
miembro member
mientes: parar mientes en to consider
mientras (que) while, as long as; **mientras tanto** in the meantime
miga bit, crumb, soft part of bread
Miguel Michael
mil one thousand
millar *m.* thousand
millón millon
millonario millonaire

mina mine
mínimo, -a minimum, smallest
ministro minister
minuto minute
Miranda, Sebastián *contemporary Spanish sculptor*
mirar to look at; **mire usted que** ... imagine!
mise en bouteille du château Fr. château bottling
miseria wretchedness, poverty
mísero, -a miserable, wretched
mismo, -a same, very, self; **lo mismo** the same thing; **lo mismo le da** it's all the same to her; **lo mismo ... que** the same ... as
místico, -a mystic, mystical
mitad half; **a (la) mitad de** halfway through
mitin *m.* meeting
mixto, -a mixed
mobiliario suite of furniture
moda fashion, style; **a la moda** fashionable; **fuera de moda** out of style
modales *m. pl.* manners
modelo model, pattern
modernizar to modernize
moderno, -a modern; **a la moderna** in modern style
modesto, -a modest
módico, -a reasonable
modo way, manner; **a modo de** in the manner of; **de igual modo** similarly; **de modo que** and so; **de otro modo** otherwise; **de todos modos** at any rate
molestar to bother, annoy
molestia bother, trouble
molesto, -a bothersome
momento moment; **de momento** for the moment, for the time being
momia mummy
monarquía monarchy
monárquico, -a monarchical
moneda money

monería monkeyshine
mono, -a cute, nice; *m.* monkey
monogámico, -a monogamous
monopolizar monopolize
monsieur Fr. Mr.
monstruo monster
monstruoso, -a monstrous
montaña mountain
montañoso, -a mountainous
montar to mount, ride horse-
back; to set up, establish
Montecarlo Monte Carlo
montilla *a pale dry sherry*
*Montmartre section of Paris on right
bank of Seine river*
moral moral; *f.* morals, morality
morboso, -a morbid
morder (ue) to bite
Morel-Fatio, Alfred (*1850-1924*)
*French Hispanist, distinguished critic
and historian of old Spanish literature*
moreno, -a brunet, brunette
morir(se) (ue, u) to die
mostrar (ue) to show
motivo motive, reason
*Moulin de la Galette former Pari-
sian night club*
mover(se) (ue) to move
movimiento movement
muchacha girl
muchacho boy
muchísimo, -a a very great deal
mucho, -a much, a great deal; *pl.*
many; **por mucho que** no matter how much
mudez muteness
mudo, -a mute; *n.* mute
muelle soft
muerte *f.* death
muerto, -a dead
mugir to bellow
mugriento, -a dirty
mujer *f.* woman, wife; **mujer
fatal** femme fatale, vampire
multiplicarse to multiply
mullido, -a soft, fluffy
mullir to soften, shake up

mundano, -a mundane, worldly
mundial world-wide, world
mundo world; **he visto por esos
mundos** I have seen in my wan-
derings; **todo el mundo** everyone
municipio town council, munici-
pality
músculo muscle
museo museum
música music
music hall (in England) vaudeville
theatre
músico musician
muy very

nacer to be born
nacimiento birth
nación nation
nacional national
nacionalidad nationality
nada nothing, very little; any-
thing; (not) at all; **nada de eso**
nothing of the sort
nadie nobody, anyone
Nanita: año de la Nanita of the
most remote times
naranja orange
naranjo orange tree
nariz *f.* nose
natal native
naturaleza nature
naturalmente naturally
náufrago shipwrecked person
nave *f.* ship
Navidad Christmas
necesario, -a necessary
necesidad necessity
necesitar to need
nefasto, -a fatal, tragic
negar (ie) to deny; **negarse (a)**
to decline, refuse (to)
negativo, -a negative
negocio business
negro, -a black; *n.* Negro
neoyorquino, -a (of *or* pertaining
to) New York; *n.* New Yorker

nervio nerve
nervioso, -a nervous
Neuköln *district of Berlin*
neumático, -a pneumatic; *m.* tire
nevada snowfall
nevar (ie) to snow
ni neither, nor; not even
nieve *f.* snow
ningún, ninguno, -a no, not any, none, nobody, neither one, any
niña little girl, child
niñera nursemaid
niño little boy, child
nivel *m.* level
Niza Nice
no no, not
Nobel, Alfred (*1833-1896*) *Swedish philanthropist*
noción notion, idea
nocivo, -a harmful
nocturno, -a nocturnal, night
noche *f.* night; **de la noche a la mañana** suddenly; **hace una noche terrible** it is a terrible night; **por la noche** at night; **todas las noches** every night
nochebuena Christmas Eve
nochecita: ¡qué nochecita! what a miserable night!
nombrar to name
nombre *m.* name
norma norm, standard
norte *m.* north
norteamericano, -a North American; *n.* North American
nota note
notar to notice
noticia news
notorio, -a notorious; evident
novedad novelty
novela novel
novia sweetheart
nudo knot
nueva news
Nueva York *f.* New York
nuevamente again
nuevo, -a new

número number; **número tantos** number so-and-so
nunca never; ever
Núñez de Arce, Gaspar (*1833-1903*) *Spanish post-Romantic poet, very famous at the turn of the century*

ñoño, -a stupid; timid

o or; **o ... o** either ... or
obedecer to obey
objeto object; purpose, aim; **al objeto de** with the object of
obligación obligation
obligado, -a obliged
obligar to force, oblige
obra work
obrero workman
obsequiar to flatter, pay attention to, present to
observación observation
observador *m.* observer
observar to observe
obstáculo obstacle
obstante: ello no obstante despite that fact; **no obstante** nevertheless
obstinación obstinacy
ocasión occasion
ocasionar to cause
ocio idleness
octogenariado one's eighties
ocultar to hide
oculto, -a hidden, concealed
ocupar to occupy
ocurrir to happen; **ocurrirse** to occur (to one)
oeste *m.* west
oferta offer
oficialidad corps of officers; **¡que si la oficialidad!** and what about the officers?
oficialmente oficially
oficina office
oficinista *m. & f.* clerk, office worker

oficio occupation, trade
ofrecer to offer
oír to hear
ojal *m.* buttonhole
ojo eye
oler (ue) to smell; oler a to smell of, like
olivo olive tree
olvidar to forget
olla stew
O'Neill, Eugene (*1888-1953*) *American dramatist*
ópera opera
operación operation
operar to operate, operate on
operario workman
opereta operetta
opinar to judge, be of the opinion
opinión opinion
oportunidad opportunity; libre oportunidad equal opportunity
oposición opposition
orbe *m.* orb; world
orden *m.* class, category; order, arrangement; peace, quiet
ordenado, -a orderly
ordinariamente ordinarily
organización organization
organizar to organize
orgullo pride
origen *m.* origin
originalidad originality
originariamente originally
ornado, -a ornate
ornitología ornithology
oro gold
orondo, -a unconcerned
orquesta orchestra
ortopédico, -a orthopedic
oso bear
otro, -a other, another

Pablo Paul
paciente *m. & f.* patient
Pacífico: el Pacífico the Pacific
padre *m.* father; *pl.* parents

paella *Spanish dish variously prepared with rice, chicken, shellfish, etc.*
pagante: invitado pagante paying guest
pagar to pay
página page
pago payment
país *m.* country
paisaje *m.* landscape
paisano countryman
pajarillo little bird
pájaro bird
palabra word
palacio palace; building
palidecer to turn pale
pálido, -a pale
palmo span (*unit of measure, about 8″*) de a palmo 8″ long
pan *m.* bread
pandereta tambourine
pánico panic
pantalla motion-picture screen
paño cloth
pañuelo handkerchief
papel *m.* paper; rôle
papelería stationery store
par *m.* pair
para for, to, in order to; para con towards; para mí as for me; ¿para qué? why?, for what reason?
paraguas *m.* umbrella
paraíso paradise
paralizarse to become paralized
parar(se) to stop
parasitario, -a parasitic
Pardo Bazán, Emilia, condesa de (*1851-1921*) *Spanish novelist and critic*
parecer to seem; al parecer apparently; ¿qué les parece? what do you think?, what is your opinion?; parecerse a to look like, resemble
parecido, -a similar
pared *f.* wall; entre cuatro paredes shut in
pareja pair, couple

parisiense Parisian; *m. & f.* Parisian
parlamentario, -a parliamentary
paro work stoppage
parodiar to parody
párrafo paragraph
parricida *m. & f.* parricide (*person*)
parricidio parricide (*act*)
parroquiana customer
parroquiano customer
parte *f.* part; **en gran parte** in large measure; **en ninguna parte** nowhere; **en (por) todas partes** everywhere; **por mi parte** for my part, as far as I'm concerned; **por otra parte** on the other hand
particular private, personal, custom (*tailor*)
partida game; departure
partidario supporter
partido profit; **sacar partido de** to derive profit from
partir to leave; **a partir de** beginning with; **partirse** to split, break; **se le partía el corazón** his heart was breaking
pasa raisin
pasado, -a past, former; last (*year, week, etc.*)
pasadoble *m.* quickstep, music for the opening march in bullfights
pasajero, -a passing, fleeting
pasar(se) to pass, happen, spend (*time*); to overlook, stand for; **pasar de** to exceed; **pasarse de** + *adj.* to be too ... e. g.: **pasarse de listo** to be too clever; **¿cómo que qué me pasa?** what do you mean, «what's the matter with me»?
pasearse to take a walk, wander
paseo walk; **salir de paseo** to go for a walk
pasillo corridor
pasión passion
paso step; **dar un paso** to take a step

pasta paste, dough; **pasta dentífrica** tooth paste; **pastas (alimenticias)** noodles, spaghetti, etc.
patada kick
patibulario, -a hair-raising
patria native country
patriota *m. & f.* patriot
patriotismo patriotism
patrona landlady
pausa pause
pavor *m.* terror
payaso clown
paz *f.* peace
pecado sin
pecera fish bowl
pecho chest
pedir (i) to ask (for), beg
pelar to pluck; **corre que se las pela** he runs like a scared rabbit
pelea fight
película film
peligro danger
pelo hair; **con pelos y señales** in minute detail
pena grief; hardship; **valer (merecer) la pena** to be worth while
penalidad trouble, hardship
penetrar to penetrate
penicilina penicillin
pensamiento thought
pensante: caballos pensantes thinking horses
pensar (ie) to think, think over; intend; **pensar en** to think about
pensión pension, annuity; boarding house
pensionado holder of a fellowship
pensionista *m.* boarder
peor worse, worst
pepita pip, small seed
pequeño, -a small; young
perder (ie) to lose; to miss (*a train*); **que tal vez perdiesen** that they would perhaps lose
pérdida loss

perdido, -a hopeless
perdonar to pardon; **no perdonar** to not omit
peregrinación pilgrimage
perejil *m.* parsley
perennal perennial
perfeccionar to perfect
perfecto, -a perfect
perfilarse to stand sideways, show one's profile
perforante perforating, boring
periódico newspaper
periodismo journalism
periodista *m.* journalist
período period; sentence
perjudicar to harm
perjudicial harmful
permanecer to remain
permiso permission
permitir to permit
pero but
perro, -a hard, troublesome, wretched; *m.* dog
persa *m. & f.* Persian
persona person
personalidad personality
pertenecer to belong
peruano Peruvian
pesadez heaviness
pesado, -a heavy, dull
pesar to weigh, rest; **pesa toda** it rests entirely; *m.* sorrow, grief; **a pesar de** in spite of; **a pesar mío** against my wishes
pescado fish (*caught*)
pescuezo neck
peseta *Spanish monetary unit*
pesimismo pessimism
pésimo, -a abominable
pestañear to blink
petróleo petroleum
pianista *m. & f.* pianist
picaresco, -a roguish
pico beak, bill; peak
pictórico, -a pictorial
pie *m.* foot; **en pie** unsolved
piedad pity

piedra stone; **cartón piedra** papier-mâché
pierna leg; **dormir a pierna suelta** to sleep soundly
pijama *m.* pajamas
pillar to catch
pintar to paint, depict; to do, have business
pintor *m.* painter
pintoresco, -a picturesque
pintura painting
pipa pipe
pirámide *f.* pyramid
Pisa *Italian city on the Arno river*
pisar to step on
piso floor, story
pisotón stomping, trampling
pistola pistol; **tirar de pistola** to draw a pistol
pistolero pistol-toting gangster
pistolón large pistol
pitillo cigarette
Pizarro, Francisco (*1475(?)-1541*) *Spanish conqueror of Peru*
placa plate, nameplate
placer *m.* pleasure
planeta *m.* planet
planta plant
plantear to plan, establish; to state (*a question*)
plástica plastic values (*color, figures, etc*)
platicar to talk over, discuss; to chat
plato plate
playa beach
plaza plaza, square
plazo: a plazos in installments
pleno, -a full: **en pleno Nueva York** right in the middle of New York
pluma feather; pen
plumaje *m.* plumage
plumero feather duster
pobre poor; *m. & f.* poor person, poor thing; poor dear
pobrecillo poor little fellow

pobrecita poor little thing
pobriño, -a *affec.* poor little fellow, poor thing
poco, -a little, small; **un poco** a little, not much; *pl.* few; **a poco de** shortly after; **poco a poco** little by little
poder (ue, u) to be able, can; **no puedo menos de preguntarme** I can't help asking myself; *m.* power
poderoso, -a powerful
poema *m.* poem
poesía poetry
poeta *m.* poet
poético, -a poetic
polaco Pole
polemista *m.* polemist
policía *m.* policeman; *f.* police (*force*)
policíaco, -a detective (*story*)
pólipo polyp
político, -a political; *m.* politician. *f.* politics
polvo dust; **hacer polvo a** to overcome, destroy
pólvora gunpowder
polvoriento, -a dusty
pollo chicken
polluelo chick
pompa pomp; **pompa fúnebre** funeral; **empresa de pompas fúnebres** undertaking establishment
ponderar to ponder on
poner to put, place; **pongamos por caso** let's take as an example; **ponerse** to become; to put on; **ponerse a** to begin to
Pontevedra *one of the four Galician provinces of northwestern Spain*
pontevedrés, -a (of *or* pertaining to) Pontevedra
popularidad popularity
por for, by, through, over, around, per, because of; as for, when it comes to *e. g.:* **por digerir** when

it comes to digesting; **por qué** why
porcentaje *m.* percentage
pordiosero beggar
pormenor *m.* detail
porque because; in order that
porrazo blow; **de golpe y porrazo** in a rush, all at once
portentoso, -a extraordinary
portero porter, doorman
portugués, -a Portuguese
porvenir *m.* future
poseedor *m.* possesor
poseer to possess
poseído, -a possessed
posibilidad possibility
posible possible
positivo, -a positive
postal postal; *f.* postal card
potro colt
Potsdamer Platz *square in Berlin*
práctico, -a practical; *f.* practice
pradera prairie
precaución precaution
preceder to precede
precio price
precioso, -a precious
precipitadamente hurriedly
precisamente precisely, exactly
precisión precision
preciso, -a necessary
predicar to preach; **no es lo mismo predicar que dar trigo** actions speak stronger than words
preferencia: de preferencia preferably
preferir (ie, i) to prefer
pregunta question
preguntar to ask
prehistórico, -a prehistoric
prejuicio prejudice
premio prize
prenda garment, article of clothing
prender to seize; to take root; **según prendiese** depending on whether it took root
prensa press

preocupación concern; preoccupation
preocuparse to become preoccupied
preparar to prepare
prerrogativa prerogative
presencia presence
presentación presentation; serving
presentar to present; **presentarse** to appear
presente present; **uno de los presentes** one of those present; *m.* present
presidente *m.* president; chairman
preso, -a caught, imprisoned
Presse : La Presse The Press (*a French newspaper*)
prestar to lend; to render; to give
prestigio prestige
presumir to presume
pretencioso, -a pretentious
pretender to pretend, claim; to try, try to do; ¿**pretende usted?** are you suggesting?
pretensión pretension; presumption; **tener la pretensión de** to presume to
pretérito, -a past
pretexto pretext; **so pretexto de** under the pretext of
prever to foresee
previamente previously
primavera spring
primaveral spring-like
primerizo beginner, novice
primer, primero, -a first
primitivo, -a primitive
princesa princess
principal principal; essential, important
principio origin; principle; **al principio** at first
privilegio privilege
probabilidad probability
problema *m.* problem
proceder to proceed, originate;

y como no procediesen and since they did not proceed
procedimiento procedure
prócer *m.* dignitary
procesión procession
proclamación proclamation
proclamar to proclaim
procurar to strive, try
prodigioso, -a marvelous
producción production
producir to produce, cause, bring about; **producirse** to take place, happen
producto product
productor *m.* producer
profesión profession
profesional professional
profesor *m.* professor
profundidad profundity
profundo, -a deep
profusamente profusely
progreso progress
prohibir to prohibit
prójimo fellow man, neighbor
prolongar to prolong
promedio average
prometer to promise
prominencia protuberance
promontorio height, elevation
pronto soon; **de pronto** suddenly; **por de pronto** for the present
pronunciamiento uprising
pronunciar to pronounce
propaganda propaganda; advertising; **la propaganda por la conducta** proper actions as an example
propasarse to go too far
propiamente properly; strictly
propicio, -a propitious
propietario proprietor
propio, -a own, one's own; same, very; proper; characteristic
proponer to propose; **proponerse** to purpose
proporción proportion

propósito intention; **a propósito** apropos
propulsor *m.* propeller, advocate, promoter
prorrumpir to burst out
prosa prose
prosaico, -a prosaic
proseguir (i) to continue
proteger to protect
protestar to protest
provenir (ie, i) to come, originate
provincia province
provinciano provincial
provisto, -a de provided with
provocado, -a provoked, caused
próximo, -a next, coming, close
proyectar to project
psicoanálisis *m.* psychoanalysis
psicología psychology
psicológico, -a psychological
publicar to publish
publicidad advertising
publicitario, -a (pertaining to) publicity, advertising
público, -a public; *m.* public
pueblo nation, people, country
puente *m.* bridge; **Puente de los Suspiros** Bridge of Sighs (*passageway over Franklin St., formerly connecting Tombs Prison with Criminal Courts Building*)
puerco, -a coarse; lewd
puerta door
puerto port
pues well, then, since
puesto, -a put, placed, fixed; **puesto que** since; *m.* place
pugilista *m.* pugilist
pulgada inch
pulir to polish
pulmón lung
pulmonía pneumonia
punto point; player (*in game of chance*); **en punto** on the dot; **puntos suspensivos** suspension points
puntual punctual

puñalada stab; **coser a puñaladas** to cut to ribbons
puño fist
Püppchen *Ger.* little doll
puritanismo Puritanism
puritano, -a puritanic, Puritan; *n.* Puritan
puro, -a pure; *m.* cigar

que which, that, who, whom; for, because; than; as; **el (la, los, las) que** he (she, those) who, the one(s) that; **lo que** what, that (which); **ya que** since
¿qué? what?, why?; **¡qué! what(a)!**
quebrantar to break
quedar (se) to remain, stay; to be left; **quedarse con** to keep; **quedarse dormido** to fall asleep
quejarse to complain
quejoso, -a complaining
quemar to burn
querer (ie) to wish, want, like; **¿cómo quiere usted?** how do you expect?; **como quien no quiere la cosa** nonchalantly, in a detached manner; **¿qué quieres?** what can I do?, that's the way it is; **querer decir** to mean
querido, -a dear
queso cheese; **dársela a uno con queso** to make a fool of, deceive, trick
quiebra bankruptcy; **dar en quiebra** to go bankrupt
quiebro inclination at the waist, dodging, feinting (*bullfighting*)
quien who, whom, he who, whoever, people, those who
¿quién? who?, whom?
quintillizo quintuplet
quinto, -a fifth
quirúrgico, -a surgical
quisque: cada quisque each one

quitar to remove, deprive of; **quitarse** to take off; **quitarse de encima** to get rid of
quizá(s) perhaps

rábano radish; **tomar el rábano por las hojas** to substitute erroneously, misconstrue, misinterpret
ración ration, allowance
racionamiento rationing
radio *f.* radio
Rafael Raphael
rama branch
Ramón Raymond
rana frog
rancio, -a stale, rancid; old-fashioned *m.* rancidness; **oler a rancio** to be old-fashioned
rápidamente rapidly
rapidez rapidity
raro, -a rare
rascacielos *m.* skyscraper
rasgo trait, characteristic
rastro trace
rata rat
ratito little while
rato while, short time; **al poco rato** a short time later
ratón mouse
ratonera mousetrap
raza race
razón *f.* reason; ratio; **a razón de** at the rate of; **tener razón** to be right
razonamiento reasoning
razonar to reason
reacción reaction
reaccionar to react
reajustar to readjust, arrange
real real, actual; royal; *m.* obsolete Spanish coin; **no tener dos reales** to be "broke"
realeza royalty
realidad reality
realizar to fulfill, carry out, accomplish; to sell, convert to cash

realmente really
rebañar to gather up, eat up, sop up
rebelde stubborn
rebelión revolt
recelosamente fearfully, distrustfully
receta recipe
recibir to receive
recibo receipt
reciente recent
recobrar to recover
recoger to gather, collect
recomendar (ie) to recommend
reconocer to recognize
reconocimiento gratitude
reconstruir to reconstruct
recordar (ue) to remember
recorrer to cross, go over
recorte *m.* cutting short (*quick movement by bullfighter cutting the bull's charge*)
recriminación recrimination
rectificar to correct
recuerdo memory, remembrance; *pl.* regards
recurrir to resort, have recourse
recurso recourse
rechazar to repel, reject
redacción newspaper office
reducir to reduce
referencia reference
referir (ie, i) to report, narrate; **referirse** to refer
reflejo reflex
reflexión reflection
reflexionar to reflect
reflexivo, -a reflexive
refugio refuge; hospice
refunfuñar to grumble
regalar to present, give as a present
regalo gift
regeneración regeneration
regenerador *m.* regenerator
regenerar to regenerate
régimen *m.* regime
región region

regla rule; **regla de tres** rule of three
regresar to return
regular regular; fair to middling, so-so; acceptable, considerable
reino kingdom
reír(se) (i) to laugh, scoff
relación relation
relacionado, -a related
relativo, -a relative
relato account
religioso, -a religious
reloj *m.* watch
reluciente shining
remangado, -a *var. of* **arremangado** turned up
remedio remedy, help, recourse; **no hay más remedio** it can't be helped, there's nothing else to do; **no tener (más) remedio** to be unavoidable
reminiscencia reminiscence
remitente *m & f.* sender
remolacha sugar beet
remordimiento remorse
remoto, -a remote
remozar to rejuvenate
rendimiento yield, output
renovado, -a transformed
renunciar a to give up, forego
repatriarse to go *or* come home
repentino, -a sudden
repetir (i) to repeat
repisa shelf
replicar to reply; to retort
reponer to reply
representante *m.* representative
representar to represent; to act, play
reprimir to repress
reproducción reproduction
reproducir to reproduce
república republic; **República Española**: *First Spanish Republic, from February 11, 1873, after abdication of Amadeo I until insurrection of Martínez Campos, Decem-*

ber 29, 1874; Second Spanish Republic, from fall of Alfonso XIII and the elections of April, 1931, to end of Civil War (1936-1939)
republicano, -a republican; *n.* republican
repugnancia repugnance
repugnante repugnant
reputación reputation
requerir (ie, i) to require
reserva reserve
reservar to reserve
resfriado, -a suffering from a cold; *m.* cold in the head; ¡**qué voy a estar resfriado!** what do you mean I have a cold!
residencia residence
residir to reside
resignarse a to resign oneself to
resistencia resistence
resistir a to resist
resolver (ue) to solve
respectar to concern; **por lo que respecta a** as far as ... is concerned
respectivo, -a respective
respecto: respecto a (de) in regard to
respetable respectable
respetar to respect
respeto respect, consideration
respetuoso, -a respectful
respingo wincing, gesture of revulsion
respirar to breathe
responder to reply
respuesta reply
restaurante *m.* restaurant
resto rest, remainder; *pl.* gambling stakes remaining on the table; **echar el resto** to stake one's all
restricción restriction
resultado result
resultar to result, turn out to be
resumido, -a summarized, summed up
retirado, -a retired

retirar (**se**) to take away, withdraw; to drop out
Retiro: **el Retiro** *large public park in Madrid*
retrato portrait
reuma *m & f.* rheumatism
reunión gathering
reunir to gather together; **reunirse** to get together
revelar to reveal
reverencial reverential
revés: **al revés** backwards, in the opposite way; **del revés** wrong side out
revestir (**i**) to cover; to disguise
revista magazine
revolución revolution
revólver *m.* revolver
revuelta revolt, disturbance
rey *m.* king
rico, -a rich
ridículo, -a ridiculous; *m.* ridiculous situation; **poner en ridículo** to expose to ridicule
riesgo risk
rigidez rigidity
rigor: **de rigor** de rigueur, indispensable; **en rigor** as a matter of fact
rincón corner
riñón kidney
río river
riqueza wealth, riches
risa laughter
ritmo rythm
Rivas Santiago, Natalio (*1865-1958*) *Spanish liberal politician*
robo robbery
robustez robustness
robusto, -a robust
rodar (**ue**) to wander about
rodeado, -a surrounded
rodear to surround
Rodolfo Rudolph
rojo, -a red
románico, -a Romanesque
romano, -a Roman

romanticismo romanticism
romántico, -a romantic
romper to break; **romper a** to start to, burst out
ropa clothing, clothes
ropero wardrobe
rotundo, -a round; full; peremptory
rubio, -a blond; *f.* blonde
rubor *m.* blush; bashfulness
ruborizarse to blush
rue *Fr.* street
rugir to roar, bellow
ruido noise
ruidoso, -a noisy; sensational
ruina ruin
ruinoso, -a ruinous
Ruiz Zorrilla, Manuel (*1834-1895*) *Spanish liberal politician*
Rusia Russia
ruso Russian
rutinario, -a routine

saber to know; to know how to; **no lo sabe usted bien** you have no idea; ¡**vaya usted a saber!** who can say!
sabido, -a known; well informed
sabiendas: **a sabiendas de lo que me irrita** realizing how much it annoys me; **a sabiendas de suscribir** knowingly endorsing
sabio, -a wise; trained; *m.* scholar, scientist
sabroso, -a delicious
sacar to take out, draw out, stick out; **sacar cabeza** to get one's head above water, save oneself, distinguish oneself
sacramental sacramental, ritual
sacrificar to sacrifice
sacrificio sacrifice
sagrado, -a sacred
sal *f.* salt
sala hall, living room
salakof *m.* explorer's helmet

salar to salt
Salaverría, José María (*1873-1940*) *Spanish journalist and essayist*
salchicha sausage
salir to go out, come out, leave; to result, turn out
salón salon, large hall *or* parlor
salsa sauce
saltar to jump; saltarse la tapa de los sesos to blow one's brains out
salto: dar saltos to leap, jump
salud *f.* health
salvaje savage
salvar to save
sangre *f.* blood
sanguíneo, -a cheerful, hopeful
sanitario, -a (pertaining to) health
sano, -a healthy; sane
Santiago (de Compostela) *city and famous medieval shrine in Galicia*
santiamén *m.* jiffy, instant
santidad sanctity
sastre *m.* tailor
sastrería tailoring, tailor shop
satisfacción satisfaction
satisfecho, -a satisfied
Schopenhauer, Arthur (*1788-1860*) *German philosopher*
seco, -a dry; en seco suddenly
secreto secret
seguida: en seguida immediately
seguir (i) to follow, continue
según according to, depending on (whether); that depends
segundo, -a second; *f.* second class (*boat, train*)
seguridad certainty, surety
seguro, -a sure, certain; *m.* insurance
semana week
semejante similar, such
senador *m.* senator
sencillo, -a simple
sensación sensation
sensibilidad sensibility

sensible noticeable; sensitive
sentado, -a seated, sitting
sentar (ie) to fit, suit; sentar la cabeza to settle down; sentarse to sit down, settle down
sentido sense, meaning
sentimiento sentiment, feeling
sentir (ie, i) to feel; *m.* feeling, judgment
señal *f.* sign, mark; con pelos y señales in minute detail
señor *m.* Sir, Mr.; gentleman
señora Mrs.; lady
señorita young lady, miss
separar(se) to separate
septuagenario septuagenarian
sequía drought
séquito retinue
ser to be; de no ser por were it not for; por no ser when it comes to not being; se es de España o no one is from Spain or one isn't; ser de to become of; venir a ser to turn out, become
serenata serenade
serenidad serenity
serie *f.* series; en serie mass (production)
seriedad seriousness
serio, -a serious
servicio service
servidumbre servants
servir (i) to serve; servir de to serve as; servir para to be good for; servirse de to make use of
sesión session
seso brain, brains
setentena one's seventies
Sevilla *large city of southern Spain*
si if, why, indeed, but, whether; si no me refiero a la máquina but I'm not referring to the engine
sí yes, indeed; por un sí o por un no in any event
sí himself, herself, etc.; en sí in *or* of itself

siempre always; siempre que provided; para siempre forever

sierra mountain range; la Sierra mountains in the environs of Madrid, the Guadarrama range, etc

siglo century

significar to mean

siguiente following

sílaba syllable

silencioso, -a silent

símbolo symbol

simplemente simply

simplicidad simplicity, artlessness, simpleheartedness

simplificativo, -a simplifying

simulación simulation, pretense

simular to simulate

sin without

sincamisetismo going without an undershirt

sinceridad sincerity

sincero, -a sincere

Sinclair, Upton (1878-) American writer and politician

sindicato syndicate

sinfín m. endless number

sinfónico, -a symphonic

sino (que) but, except, but rather; no ... sino que only; m. fate, destiny

siquiera even; ni siquiera not even

Sirio Sirius

sistemático, -a systematic

sitio place, location

situar to locate

so: so pretexto de under the pretext of

soberbio, -a superb

sobra: de sobra more than enough

sobrante left over, remaining

sobre on, above, over, about, concerning; sobre todo especially

sobrellevar to bear; to endure with patience

socialista m. & f. socialist

sociedad society

Soho a district in London

sol m. sun

solamente only

solapa lapel

soldado soldier

soledad loneliness

soler (ue) to be accustomed to

solicitación solicitation, application

solicitado, -a attracted

solicitar to apply for

solicitud solicitude

solo, -a single, alone

sólo only; tan sólo only

solterón old bachelor

solución solution

solucionar to solve

sombra shadow

sombrero hat; sombrero calañés Andalusian hat with narrow, turned-up brim; sombrero cordobés hat with wide, flat brim and low crown

sombrío, -a somber

someter to submit

sometimiento submission, subjection

sonante jingling

sonreír (i) to smile

sonrisa smile

soñar (ue) to dream

sopa sop, piece of bread dipped in gravy or the like; soup; hacer sopas to soak, dunk

sopear to soak, dunk, dip

sopeo dipping, dunking

soplar to blow

sorber to sip

Sorolla, Joaquín (1863-1923) Spanish painter very well known in the United States, many of whose works are in the Hispanic Society of America

sorprender to surprise; to catch

sorpresa surprise; no salgo de mi sorpresa I can't get over my surprise

sospechar to suspect
sospechoso, -a suspicious
sostener (ie) to maintain
Strasse Ger. street
subdividirse to subdivide, to increase
subido, -a turned up; *f.* rise
subir(se) to raise; to rise, go up;
  subirse a to climb
subordinar to subordinate
subscribir to endorse, subscribe to
subsecretario undersecretary
subsentir (ie, i) to intuit, feel instinctively
subsistir to subsist
substituir to subsitute
substraer to remove; **substraer a** to take away from
suceder to happen; **sucederse** to follow in succession
sucesivo, -a successive
suceso event
Sucre, Antonio José de (*1795-1830*) *Spanish American general and liberator*
sudar to perspire
Suecia Sweden
suelto, -a loose; fluent
sueño sleep, sleepiness; **sentir sueño** to feel sleepy
suerte *f.* luck; act (*bullfighting*); **tocarle a uno en suerte** to fall to one's lot; **la última suerte (la suerte suprema)** final act of the bullfight (*i. e. the killing of the bull*)
sufrir to suffer
sugestión suggestion
Suiza Switzerland
suizo Swiss
sulfamida sulfa drug
suma sum, figure; **en suma** in short
sumo, -a great, extreme; **a lo sumo** at the most
superabundancia superabundance

superar to surpass
superficialmente superficially
superficie *f.* surface
supervivencia survival
suponer to suppose, imply
supremo, -a supreme; final
suprimir to suppress
supuesto, -a supposed, hypothetical; *m.* assumption
sur *m.* south
surtir to supply
suscribir *var. of* **subscribir** to endorse, subscribe to
suspender to suspend
suspensivo, -a suspension (*points*)
suspirar to sigh
suspiro sigh
sustituir *var. of* **substituir** to substitute
sustraer *var. of* **substraer** to remove
sutil subtle
suyo: los suyos her people, her family

Tabarin see Bal Tabarin
tabardillo sunstroke
tacita small cup
tachar to strike out, delete
tachuela large-headed tack, hobnail
tal such (a), so-and-so; **tal (y) como** just as; **tal o cual** this or that
talento talent
taller *m.* shop
también also
tampoco either, neither
tan so
tantísimos, -as so very many
tanto, -a so much, as much; *pl.* so (as) many; so great; **cuanto más ... (tanto) más** the more... the more; **en tanto** in the meantime; as long as, while; **mientras tanto** in the meantime; **por tanto** there-

fore; **tanto ... como** as much ...
as; **tanto más** all the more;
tanto más ... (cuanto) **menos**
the more ... the less; **un tanto**
somewhat; **un tanto por ciento**
a certain per cent; *m.* part, portion
tapa lid, cover; **saltarse la tapa
de los sesos** to blow one's
brains out
tapar to cover
taquilla ticket window
taquillera ticket seller
Tarascón: de Tarascón *allusion to
the French novelist Alphonse Daudet's
fictional character Tartarin, famous
for his boasting and exaggerations*
tardanza delay
tardar to be late; **tardar en** + *inf*
to be long in
tarde late, too late; **más tarde**
later; *f.* evening, afternoon
tarea task
tarjeta card; **tarjeta postal** postal
card
tartamudear to stutter
taza cup
tazón large cup, bowl
té *m.* tea
teatral theatrical
teatro theatre
técnico technician
techo roof, ceiling
tejido textile, fabric
tela cloth, fabric
telefonear to telephone
teléfono telephone
telégrafo telegraph
telegrama *m.* telegram
tema *m.* theme, subject
temer to fear
temor *m.* fear
temperamento temperament
temperatura temperature
temple: al temple in distemper
(*painting*)
templo temple
temporada period, spell

temporadita short while
temprano, -a early
tenacidad tenacity
tendencia tendency
tendido, -a stretched out
tener (ie) to have; **tener encima**
to be burdened with; **tener entendido** to understand; **tener que**
to have to; **tengo para mí** it is
my opinion, as far as I'm concerned
tentación temptation
tentativa attempt
Teodoro Theodore
teórico, -a theoretical
tercero, -a third; *f.* third class
(*boat, train*)
termas *f. pl. Rom. ant.* thermae,
public bathing establishment (*used
by Camba in the singular*)
terminar to end
término end; term; **en último
término** in the final analysis
ternera calf
ternura tenderness
terraza terrace
terrenal earthly
terreno field, sphere
territorio territory
terso, -a smooth
tertulia party, social gathering
testigo witness
textil textile
tiempo time; **al poco tiempo**
within a short time
tienda store
tierno, -a tender
tierra earth, land, ground, country
tifus *m.* typhus
tímidamente timidly
tinieblas *f. pl.* darkness
tipo type
tiranía tyranny
tirano tyrant
tirar to throw; to shoot; to last;
tirar de to draw, pull (*pistol*)
tiro shot

Tirol: el **Tirol** the Tyrol
tirolés, -a Tyrolese
tironcillo short tug, jerk
título title
tocado, -a with the head covered, hatted
tocar to touch; to play (*an instrument, composition*); to ring, toll; **tocar a** to be time to, call to, signal for; **tocarle a uno** to fall to one's lot
todavía yet, still
todo, -a all, every, whole; **ante todo** first of all; **del todo** entirely; **sobre todo** especially; *m.* everything
Toledo *Spanish city on the Tagus river, south of Madrid*
tolerancia tolerance
tolerar to tolerate
tomar to take; to eat, drink; to buy; to have
tonelada ton; **a toneladas** by the ton
tono tone, elegance
tontería nonsense
tonto fool
torear to fight (*bulls*); to banter, tease
torero, -a (pertaining to) the bullfight, bullfighting; *m.* bullfighter
tornar to return
tornillo screw
toro bull; *pl.* bullfight; **corrida de toros** bullfight; **toro de lidia** fighting bull
torpeza awkwardness; stupidity
torre *f.* tower
torso torso
tos *f.* cough
toser to cough
tostar (ue) to roast
total total; in a word
traba obstacle
trabajador, -a hard-working
trabajar to work; to promote, push (*an article*)

trabajo work; hardship; **costar trabajo** to be difficult
trabucar to mix up
tradición tradition
tradicional traditional
traer to bring
tráfico traffic
traición: a traición treacherously
traje *m.* suit
trampolín *m.* springboard
tranquilo, -a quiet, calm
transatlántico transatlantic liner
transcurrir to pass, elapse
transformarse to become transformed
transición transition
transitar to travel
transitorio, -a transitory
transmitir to transmit
transportar to transport
tranvía *m.* streetcar
trapo rag; red flag, muleta (*bullfighting*)
tras (de) after, behind
trascendental transcendental; very serious
trascender (ie) to spread
trasladar to transfer
trastornar to upset
trastorno upheaval, disturbance
tratamiento treatment
tratar to treat, deal with; **tratar de** to try to; **tratarse de** to deal with, be a question of
trato friendly relations
través: a través de through
tren *m.* train
tribuna tribune
triciclo tricycle
trigo wheat
triste sad
tristeza sadness
tristísimo, -a very sad
triunfal triumphal
triunfar to triumph
tropezar (ie) con to meet, come across

trovador *m.* troubadour
truco trick, contrivance
Trujillo *Spanish town in the province of Cáceres*
tuberculosis *f.* tuberculosis
tuerca nut
tuerto, -a one-eyed; *n.* one-eyed person
tumba tomb
túnica tunic
turbación disturbance, confusion
turismo tourist business
turista *m. & f.* tourist
turístico, -a (pertaining to) tourist
turno turn
Tussaud, Madame Marie (*1760-1850*) *proprietress of famous wax museum and chamber of horrors on Baker Street, London*

último, -a last, latest; **por último** finally
unanimidad unanimity
unción unction
único, -a only, sole, unique; **lo único** the only thing
unido, -a joined, collected
uniforme *m.* uniform
uniformidad uniformity
universidad university
Unter den Linden *famous avenue in Berlin*
uña fingernail
urgente urgent
usar to use
uso use
útil useful; **útiles** *m. pl.* tools, equipment
utilitario, -a utilitarian
utilizar to utilize

vaciar to hollow out
vacilación hesitation
vacío, -a empty; *m.* vacuum, emptiness

vacuna vaccine
vago, -a vague
vagón railroad car
Valencia *Spanish port on the Mediterranean*
Valentino, Rudolph (*1895-1926*) *American movie star*
valer to be worth
valía value, worth
valiente brave
valor *m.* value, worth; courage
vals *m.* waltz
¡vamos! come now !, what do you mean?
vanagloriarse de to boast of
vanguardista avant-garde
vanidad vanity
vano, -a vain
vapor *m.* steam
variar to change
variedad variety
vario, -a varied; *pl.* some, several
vecino, -a neighboring; *n.* neighbor, resident, citizen
vedette *Fr.* film star
vegetación vegetation
vejestorio old dodo, relic
vejez old age
velada evening
velocidad speed
vena vein
vencer to conquer, surpass
vendaje *m.* bandage
vendedor *m.* salesman
vender to sell
venir (ie, i) to come; **venir a cuento** to be opportune, applicable to; **venir a ser** to turn out, become
venta sale
ventaja advantage
ventajoso, -a advantageous
ventana window
Ventas: las Ventas *same as* **la Bombilla** *except in another district of Madrid*
ventilación ventilation

ver to see; **verá usted** I'll tell
you; look, it's this way
veraneante *m.* summer vacationist
veranear to summer
veraneo summering, summer va-
cation
veraniego, -a (pertaining to) summer vacations
veras: de veras indeed
verdad truth; **de verdad** truly,
as a matter of fact; **¿verdad?**
isn't that so?
verdadero, -a true
verduras *f. pl.* vegetables, greens
vergonzoso, -a shameful
vergüenza shame
verisímil likely, probable
verosímil *var. of* **verisímil**
vestíbulo vestibule
vestigio vestige
vestir (i) to dress; to put on,
wear; to be dressy; to give class,
afford distinction; **vestir de** to
dress in, wear
vetustez antiquity
vez time, occasion; **a la vez** at
the same time; **a su vez** in his
turn; **a veces** at times; **cada
vez más** more and more; **de
una vez** at one time; **de una
sola vez** just like that, without
thinking; **de una vez para
siempre** once and for all; **de
vez en cuando** from time to
time; **en vez de** instead of; **por
primera vez** for the first time;
tal vez perhaps; **una vez** once
viajar to travel
viaje *m.* trip; **viaje circular** tour
viajero, -a traveling; *m.* traveler
vicio vice
víctima victim
vida life, livelihood; **resolver la
vida** to get along, make out
viejecito, -a *affec.* old
viejísimo, -a extremely old
viejo, -a old

Viena Vienna
Vigo *important Galician seaport*
Villaespesa, Francisco (*1877-1936*)
Spanish modernist poet
Villagarcía de Arosa *town in the
province of Pontevedra*
Villanueva y Geltrú *small town
in Catalonia*
vino wine
violencia violence
violento, -a violent
violín *m.* violin
virtud virtue; **en virtud de** by *or*
in virtue of
viruela smallpox
vísceras *f. pl.* viscera
visión vision, view
visitante *f.* visitant
visitar to visit
víspera: en vísperas de on the eve
of
visto, -a seen, viewed; *f.* view,
sight; **a primera vista** at first sight
vistoso, -a showy
vitamina vitamin
¡viva! long live !
vivienda dwelling
vivir to live
vizconde *m.* viscount
vociferar to shout
volar (ue) to fly
volatín *m.* acrobatic feat
volumen *m.* volumn
voluntad will, desire, disposition
voluptuosidad voluptuousness
volver (ue) to return; volver +
inf. to do a thing again; **volver
del revés** to turn wrong side
out; **volverse** to become
vorágine *f.* whirlpool
votar to vote, vote for
voto vote
voz *f.* voice; **voces** *f. pl.* outcry;
a grandes voces in a loud voice
en voz alta aloud
vuelta turn; **de vuelta** back, on
returning

vulgar   common
vulnerar   to harm, injure

Wilde, Oscar (*1856-1900*)   *Irish*
   writer

y   and
ya   now, already, finally, once; **no**

... **ya**   no longer, no more; **ya
no**   no longer; **ya que**   since
yate *m.*   yacht
zapato   shoe
zarandajas *f. pl.*   trifles
zoología   zoology
Zuloaga,   Ignacio (*1870-1945*)
   *Spanish painter distinguished for his
   realistic treatment of types*
zurcir   to darn